INESQUECÍVEL

JESSICA BRODY

INESQUECÍVEL

Tradução
Ryta Vinagre

ROCCO
JOVENS LEITORES

Título original
UNREMEMBERED

Copyright © 2013 by Jessica Brody
Todos os direitos reservados.

Direitos para a língua portuguesa reservados
com exclusividade para o Brasil à
EDITORA ROCCO LTDA.
Av. Presidente Wilson, 231 – 8º andar
20030-021 – Rio de Janeiro, RJ
Tel.: 3525-2000 – Fax: 3525-2001
rocco@rocco.com.br
www.rocco.com.br

Printed in Brazil/Impresso no Brasil

preparação de originais
JULIANA WERNECK

CIP-Brasil. Catalogação na fonte.
Sindicato Nacional dos Editores de Livros, RJ.

B883i

Brody, Jessica
  Inesquecível / Jessica Brody; tradução de Ryta Vinagre. –
1. ed. – Rio de Janeiro: Rocco Jovens Leitores, 2017.
      (Unremembered; 1)

  Tradução de: Unremembered
  ISBN 978-85-7980-300-0 (brochura)
  ISBN 978-85-7980-322-2 (e-book)

  1. Romance americano. I. Vinagre, Ryta. II. Título. III. Série.

16-36799
CDD: 813
CDU: 821.111(73)-3

O texto deste livro obedece às normas do
Acordo Ortográfico da Língua Portuguesa.

Para Bill Contardi,
Um herói de ação da vida real
(também conhecido como meu agente)

O coração que verdadeiramente amou jamais esquece.
—Thomas Moore

SUMÁRIO

0. Despertar 11

PARTE 1: A Queda
1. Novamente 15
2. Cobertura 20
3. Acessórios 26
4. Marcada 31
5. Vazio 35
6. Tocada 39
7. Lar 47
8. Ávida 56
9. Scanner 58
10. Escrito 70
11. Provada 76
12. Idiomática 82
13. Ressentimentos 90
14. Confirmação 95

PARTE 2: A Volta
15. Racionalizações 105
16. Promessas 109

17. Exposta 113
18. Ficção 126
19. Visita 134
20. Partida 138
21. Quebrada 145
22. Escuridão 153
23. Humanidade 158
24. Fuga 169
25. Conectada 176
26. Reprimida 184
27. Isolada 192
28. Falsificações 199

PARTE 3: A Rendição
29. Ar 213
30. Encontrada 216
31. Guiada 221
32. Obstáculos 229
33. Desertada 235
34. Incompleta 242
35. Chat 252
36. Desejo 256
37. Confiante 260
38. Inverno 264
39. Temporário 269
40. Existência 276
41. Traído 288
42. Despedidas 294
43. Queda 301
44. Oco 306
45. Abertura 319
46. Fé 330

0
DESPERTAR

A água é fria e impiedosa, batendo em meu rosto. Desperta-me ao bater. Enche minha boca com o gosto da solidão salgada.

Tusso violentamente e abro os olhos, apreendendo o mundo ao meu redor. Vendo-o pela primeira vez. Não é um mundo que e u reconheça. Corro os olhos por quilômetros e quilômetros de mar azul-escuro. Pontilhado de objetos grandes e flutuantes. Metal. Como este em que estou deitada.

E então aparecem os corpos.

Conto vinte ao meu redor. Dois ao alcance do meu braço. Mas não me atrevo a tentar pegar.

Os rostos sem vida estão petrificados de pavor. Os olhos estão vazios. Encarando o nada.

Aperto a têmpora latejante com a palma da mão. Minha cabeça parece feita de pedra. Tudo é bege e pesado e visto através de uma lente suja. Fecho bem os olhos.

Uma hora depois, as vozes surgem. Após a noite cair. Ouço-as cortando a escuridão. Levam uma eternidade para chegar a mim. Uma luz rompe a névoa densa e me ofusca. Ninguém fala enquanto sou tirada da água. Ninguém precisa falar. Está claro, pela expressão deles, que não esperavam me encontrar.

Eles não esperavam encontrar ninguém.

Isto é, ninguém vivo.

Estou enrolada em um cobertor azul e grosso, deitada numa superfície de madeira dura. É quando começam as perguntas. Perguntas que fazem meu cérebro doer.

— Qual é o seu nome?

Bem que eu queria saber.

— Sabe onde você está?

Olho para o alto e nada encontro além de um mar de estrelas imprestáveis.

— Você se lembra de embarcar no avião?

Meu cérebro se contorce de agonia, levando a testa a latejar mais uma vez.

Avião. Avião. O que é um avião?

E então vem a pergunta que desperta algo bem fundo em mim. Acende uma faísca mínima e distante em algum lugar nos cantos remotos da minha mente.

— Sabe em que *ano* estamos?

Pisco, sentindo uma centelha de esperança na boca do estômago.

— Mil seiscentos e nove — sussurro com uma convicção infundada. E então desmaio.

PARTE 1

A QUEDA

1
NOVAMENTE

❖

O dia de hoje é o único do qual me lembro. Só o que tenho é o despertar naquele mar. O resto é um espaço vazio. Mas não sei até que ponto do passado vai esse espaço – por quantos anos se estende. É isto que caracteriza os vazios: podem ser curtos como um piscar de olhos, ou infinitos. Consumindo toda a sua existência em um clarão branco sem sentido. Deixando-o sem nada.

Sem lembranças.

Sem nomes.

Sem rostos.

Cada segundo que passa é novo. Cada sensação que pulsa por mim é estranha. Cada pensamento que tenho não é nada parecido com o que um dia eu imagino ter pensado. E tudo o que posso esperar é um momento que espelhe outro ausente. Um vislumbre fugaz de familiaridade.

Algo que faça de mim... *eu*.

Caso contrário, posso ser qualquer pessoa.

É muito mais complicado esquecer-se de quem você é do que simplesmente esquecer seu nome. É também se esquecer dos seus sonhos. Das suas aspirações. Do que faz você feliz. Do que você reza para que jamais lhe falte na vida. É ver a si mesmo pela primeira vez e não ter certeza de sua primeira impressão.

Depois que o barco de resgate atracou, fui trazida para cá. Para este quarto. Homens e mulheres de jaleco branco entram e saem, adejando. Cravam coisas afiadas no meu braço. Examinam gráficos e coçam a cabeça. Apalpam, sondam e observam minhas reações. Querem que haja algo de errado comigo. Mas eu lhes garanto que estou ótima. Não sinto dor nenhuma.

A névoa que me cercava finalmente se esvaiu. Os objetos são nítidos e detalhados. Minha cabeça não parece mais pesar cinquenta quilos. Na realidade, sinto-me forte. Capaz. Ansiosa para sair desta cama. Para sair deste quarto, com seus odores químicos desconhecidos. Mas não vão me deixar ir embora. Eles insistem que preciso de mais tempo.

Pela confusão que vejo gravada na expressão dessas pessoas, tenho certeza de que quem precisa de mais tempo são *eles*.

Eles não me deixam comer comida de verdade. Em vez disso, me dão nutrientes por um tubo em meu braço, inserido diretamente na veia. Centímetros acima de uma pulseira plástica branca e grossa com a palavra Desconhecida em caracteres pretos e nítidos.

Pergunto a eles por que preciso ficar aqui, quando claramente não estou machucada. Não tenho ferimentos visíveis. Nenhum osso quebrado. Agito os braços, torço punhos e tornozelos em círculos amplos para provar meus argumentos. Mas eles não respondem. E isso me enfurece.

Depois de algumas horas, eles determinam que eu tenho dezesseis anos. Não sei bem como devo reagir a tal informação. Não *sinto* ter dezesseis. Mas como vou saber como é ter dezesseis anos? Como posso saber como é ter *qualquer idade*?

E como posso ter certeza de que eles têm razão? Pelo que sei, eles podem ter acabado de inventar esse número. Mas me garantem que fizeram exames detalhados. Especialistas. Peritos. E todos dizem a mesma coisa.

Que eu tenho dezesseis anos.

Os exames, porém, não podem dizer meu nome. Não podem dizer de onde venho. Onde moro. Quem é minha família. Nem mesmo minha cor preferida.

E não importa quantos "especialistas" eles tragam a este quarto, ao que parece ninguém consegue explicar por que eu sou a única sobrevivente de um desastre de avião do tipo que ninguém sobrevive.

Eles falam de uma coisa chamada lista oficial de passageiros. Deduzi que é uma espécie de registro de todos que estavam a bordo do avião.

Também deduzi que não estou nele.

E isto não parece ser bem aceito por ninguém.

Um homem de terno cinza, que se identifica como sr. Rayunas da assistência social, diz que está tentando localizar um parente próximo meu. Ele anda com um dispositivo de metal de aparência estranha que chama de celular. Leva à orelha e fala. Também gosta de olhá-lo fixamente e apertar botões minúsculos em sua superfície. Não sei o que é meu "parente próximo", mas, a julgar pela reação dele, o homem tem problemas para localizá-lo.

Ele cochicha coisas com os outros. Coisas que suponho que ele não queira que eu ouça. Mas eu ouço mesmo assim. Palavras desconhecidas e estranhas como "lar adotivo" e "a imprensa" e "menor de idade". De vez em quando, eles param e me espiam de lado. Balançam a cabeça. Depois continuam aos cochichos.

Há uma mulher de nome Kiyana que vem de hora em hora. Tem pele negra e fala com um sotaque que passa a impressão de que está cantando. Ela se veste de rosa. Sorri e afofa meu travesseiro. Coloca dois dedos em meu punho. Escreve em uma prancheta. Passei a ansiar por suas visitas. Ela é a mais gentil de todos. Demora-se, conversa comigo. Faz perguntas.

Perguntas de verdade. Mas ela sabe que não tenho resposta nenhuma.

— Você é tão bonita — diz ela, passando o indicador com ternura em meu rosto. — Como numa daquelas fotos retocadas das revistas de moda, sabe?

Não sei. Mas abro um sorriso fraco, apesar de tudo. Por algum motivo, parece uma reação adequada.

— Nem uma manchinha — continua. — Nem um defeito. Quando recuperar a memória, você vai me contar seu segredo, meu bem. — E ela dá uma piscadela para mim.

Agrada-me que ela diga *quando* e não *se*.

Não me lembro de ter aprendido essas palavras, mas entendo a diferença.

— E esses olhos... — sussurra ela, aproximando-se. — Nunca vi uma cor assim. Quase lavanda. — Kiyana se interrompe, pensando, e se curva para mais perto ainda. — Não. *Violeta*. — Ela sorri como se tivesse se lembrado de um segredo há muito perdido. — Aposto que seu nome é esse. Violet. Lembra alguma coisa?

Balanço a cabeça. É claro que não lembra.

— Bom — diz ela, ajeitando os lençóis da cama —, é assim que vou te chamar. Só até você se lembrar do seu nome verdadeiro. É muito mais legal que Desconhecida.

Ela se afasta um passo, vira a cabeça de lado.

— Uma garota tão bonita. Nem se lembra como é, né, meu bem?

Meneio a cabeça de novo.

Ela sorri com doçura. Seus olhos se enrugam nos cantos.

— Então, espera um minutinho. Vou te mostrar.

A mulher sai do quarto. Volta um instante depois com um espelho oval. A luz se reflete nele quando ela se aproxima do leito. Ela o ergue.

Aparece um rosto na moldura rosa-claro.

Um rosto com cabelos castanhos, lisos, compridos e cor de mel. Pele dourada e macia. Um nariz pequeno e reto. Boca em formato de coração. Maçãs do rosto salientes. Olhos púrpura, grandes, quase amendoados.

Eles piscam.

— Sim, é você — diz ela. E depois: — Você devia ser modelo. Que perfeição.

Mas não vejo o que ela vê. Vejo apenas uma estranha. Uma pessoa que não reconheço. Um rosto que não conheço. E por trás daqueles olhos estão dezesseis anos de experiência que temo jamais ser capaz de lembrar. Uma vida aprisionada atrás de uma porta trancada. E a única chave se perdeu no mar.

Vejo lágrimas roxas formarem-se no reflexo do vidro.

2
COBERTURA

"**O mistério continua a obscurecer o trágico acidente do** voo 121 da Freedom Airlines, que caiu no oceano Pacífico no final da tarde de ontem, depois de decolar do Aeroporto Internacional de Los Angeles em uma viagem sem escalas a Tóquio, no Japão. Os especialistas trabalham 24 horas por dia para determinar a identidade da única sobrevivente conhecida do voo, uma menina de dezesseis anos encontrada boiando e relativamente incólume em meio aos destroços. Os médicos do Centro Médico da Universidade da Califórnia, onde a menina é tratada, confirmam que a jovem sofre de amnésia grave e não se lembra de nenhum fato anterior ao acidente. Não foi encontrada nenhuma identificação com a menina, e a polícia de Los Angeles ainda não conseguiu encontrar dados compatíveis para suas digitais ou DNA em todos os bancos de dados do governo. Segundo uma declaração da Agência Federal de Aviação, no início desta manhã, acredita-se que ela não viajava com a família e não há relatos de desaparecidos que combinem com sua descrição.

"O hospital liberou esta primeira fotografia da menina no dia de hoje, na esperança de que alguém com informações se apresente. As autoridades estão otimistas..."

Olho fixamente meu rosto na tela da caixa preta e fina pendurada acima da cama. Kiyana diz que se chama televisão. O fato de eu não saber disso me perturba. Em particular quando ela me diz que quase todas as casas do país têm uma.

Os médicos dizem que eu *deveria* me lembrar de coisas assim. Embora minhas lembranças pessoais pareçam "temporariamente" perdidas, eu *deveria* estar familiarizada com objetos, marcas e nomes de celebridades da atualidade. Mas não estou.

Conheço palavras, cidades e números. Gosto de números. Eles me parecem reais quando tudo em volta de mim não é. São concretos. Posso me agarrar a eles. Não consigo me lembrar do meu próprio rosto, mas sei que os dígitos entre um e dez são agora os mesmos que eram antes de eu perder tudo. Sei que devo tê-los aprendido a certa altura da minha vida eclipsada. E isso é o mais próximo de uma familiaridade a que consegui chegar.

Faço contas para me manter ocupada. Para manter a mente cheia de algo além do espaço vazio. Contando, consigo criar fatos. Itens que posso acrescentar à lista irrisória das coisas que sei.

Sei que alguém chamado dr. Schatzel visita meu quarto a intervalos de cinquenta e dois minutos e traz uma xícara de café em cada terceira visita. Sei que a estação de enfermagem fica de vinte a vinte e quatro passos de meu quarto, dependendo da altura de quem está de serviço. Sei que a repórter parada junto ao meio-fio do Aeroporto Internacional de Los Angeles pisca quinze vezes por minuto. A não ser que esteja respondendo a uma pergunta do locutor no estúdio. Então seu piscar sofre uma aumento de 133%.

Sei que Tóquio, no Japão, é uma longa viagem para uma menina de dezesseis anos fazer sozinha.

Kiyana entra no quarto e franze a testa para a tela.

— Violet, meu amor — diz ela, apertando um botão na base do aparelho que dissolve meu rosto em preto —, ver o noticiário 24 horas por dia não vai te fazer bem nenhum. Só vai perturbar mais. Além disso, tá ficando tarde. E você já tá acordada há horas. Por que não tenta dormir um pouco?

Em desafio, aperto o botão no pequeno dispositivo ao lado da cama e a imagem do meu rosto reaparece.

Kiyana solta uma gargalhada cantarolada e alegre.

— Não sei quem é você, srta. Violet, mas tenho a sensação de que é do tipo que sabe o que quer.

Assisto à televisão em silêncio enquanto transmitem ao vivo imagens do local do acidente. Uma peça grande e redonda — com janelas ovais mínimas percorrendo sua extensão — enche a tela. O logotipo da Freedom Airlines pintado na lateral passa lentamente. Curvo-me para a frente e o examino, analiso atentamente a letra curva, vermelha e azul. Procuro me convencer de que tem algum significado. Que em algum lugar de meu cérebro tábula rasa essas letras representam alguma coisa. Fracasso, porém, sem chegar à conclusão alguma.

Como os pedaços da minha memória fragmentada, os destroços são outra parte espatifada que antes pertenciam a um todo. Algo que tem significado. Propósito. Função.

Agora é apenas a lasca de uma imagem maior que não consigo encaixar.

Jogo-me no travesseiro com um suspiro.

— E se ninguém vier? — pergunto num sussurro, ainda me encolhendo ao som desconhecido da minha própria voz. Parece outra pessoa falando no quarto, e eu apenas fazendo a mímica das palavras.

Kiyana se vira e me olha, estreitando os olhos, confusa.

— Do que você tá falando, meu bem?

— E se... — As palavras parecem deformadas quando saem aos tropeços. — E se ninguém vier me buscar? E se eu não tiver ninguém?

Kiyana solta o riso pelo nariz.

— Ora essa, que coisa mais boba. Não quero nem ouvir isso.

Abro a boca para protestar, mas Kiyana a fecha com a ponta dos dedos.

— Agora, escute aqui, Violet — diz ela num tom sério. — Você é a garota mais bonita que eu já vi em toda a minha vida. E eu já vi um monte de garotas. Você é especial. E ninguém que é especial fica esquecido. Só aconteceu a menos de um dia. Alguém vai te procurar. É só uma questão de tempo.

Com um gesto de cabeça satisfeito e um aperto dos dedos, ela solta meus lábios e volta à sua rotina.

— Mas e se eu não me lembrar deles, quando aparecerem?

Kiyana parece menos preocupada com esta pergunta do que com a anterior. Alisa os lençóis em volta dos meus pés.

— Você vai se lembrar.

Não sei como ela pode ter tanta certeza quando eu não consigo me lembrar nem mesmo do que é uma televisão.

— Como? — insisto. — Você ouviu os médicos. Todas as minhas lembranças sumiram completamente. Minha mente é um vazio enorme.

Kiyana solta um estalo estranho com a língua enquanto ajeita a cama.

— Não faz diferença. Todo mundo sabe que as lembranças que importam de verdade não estão na mente.

Acho sua tentativa de estímulo extremamente inútil. Isso deve transparecer em meu rosto, porque ela aperta um botão para reclinar a cama.

— Trate de não ficar agitada. Por que não descansa? Foi um longo dia.

— Não estou cansada.

Vejo-a cravar uma agulha comprida no tubo ligado ao meu braço.

— Pronto, meu bem — diz ela carinhosamente. — Isso vai ajudar.

Sinto as drogas entrarem em minha corrente sanguínea. Parecem nacos pesados de gelo navegando por um rio.

Através da névoa que lentamente recobre minha visão, vejo Kiyana sair do quarto. Minhas pálpebras estão pesadas. Caem. Combato a fadiga crescente. Detesto que eles consigam me controlar com tanta facilidade. Faz com que eu me sinta desamparada. Fraca. Como se estivesse de novo no meio do mar, boiando sem rumo.

O quarto fica borrado. Vejo alguém na porta. Uma silhueta. Avança para mim. Rapidamente. Com urgência. Depois, uma voz. Grave e bonita. Mas o som é um tanto distorcido pela substância bombeando pelo sangue.

— Consegue me ouvir? Abra os olhos, por favor.

Algo morno toca minha mão. De imediato, o calor inunda meu corpo. Como um fogo se espalhando. Um fogo bom. Uma queimadura que procura me curar.

Luto para ficar desperta, pelejando contra a névoa. É uma batalha perdida.

— Acorde, por favor. — A voz agora está distante. Desaparece rapidamente.

Mal consigo enxergar o rosto de um jovem. Um rapaz. Pairando centímetros acima de mim. Ele entra e sai de foco. Distingo cabelos pretos. Molhados sobre a testa. Olhos calorosos, cor de bordo. Um sorriso torto.

E, sem pensar, sem intenção alguma, sinto-me sorrindo também.

Abro a boca para falar, mas as palavras saem distorcidas. Semiformadas. Semiconscientes.

— Eu conheço você?

Ele aperta minha mão.

— Sim. Sou eu. Você lembra?

A resposta vem antes mesmo que eu possa tentar responder. Ecoa em algum recanto da minha mente. O bruxulear distante de uma chama que não está mais acesa. Uma voz que não é a minha.

Sim.

Sim, sempre.

— Isto não devia acontecer. — Ele fala mansamente, quase sozinho. — Você não deveria estar aqui.

Esforço-me para entender o que está acontecendo. Agarro-me à inesperada onda de esperança que vem à tona. Mas ela passa com a mesma rapidez com que aparece. Extinta no vazio escuro da minha memória exaurida.

Um gemido baixo escapa dos meus lábios.

Sinto que ele anda à minha volta. Movimentos rápidos e leves. O tubo que estava no meu nariz é retirado. O intravenoso é delicadamente puxado da veia. Há um leve puxão no cordão preso à ventosa por baixo da camisola, depois um bipe estridente enche o quarto.

Ouço passos frenéticos pelo corredor, vindos da estação de enfermagem. Alguém chegará aqui em menos de quinze passadas.

— Não se preocupe — continua ele aos sussurros, entrelaçando os dedos quentes nos meus e apertando. — Vou tirar você daqui.

De repente, estou tremendo. Um calafrio se agita em mim. Substituindo lentamente cada faísca de calor que perdurava pouco abaixo da minha pele.

E é quando percebo que o toque da mão dele desapareceu. Com todas as minhas forças, estendo o braço, procurando por ele. Agarro o ar frio e vazio. Luto para abrir os olhos pela última vez antes de a escuridão cair.

Ele sumiu.

3
ACESSÓRIOS

Na manhã seguinte, acordo letárgica. As drogas persistem em meu corpo. Braços e pernas estão pesados. Minha garganta está seca. A visão está borrada. Leva alguns minutos para clarear.

Kiyana entra. Sorri quando me vê.

– Bem, olha só quem acordou.

Aperto o botão na caixa pequena a meu lado. O encosto da cama se ergue até que fico sentada e reta.

Kiyana vai ao corredor e volta alguns segundos depois com uma bandeja.

– Trouxe um café da manhã pra você. Que tal experimentar uma comida de verdade?

Olho os itens na bandeja. Não consigo identificar nem um só deles.

– Não.

Ela ri.

– Até que eu te entendo. Pra você, é comida de hospital.

Ela leva a bandeja para o corredor e volta, escrevendo coisas na prancheta.

– Sinais vitais bons – diz ela com uma piscadela. – Como sempre. – A ponta de seu dedo faz *tap tap tap* em uma tela no monitor cardíaco ao lado da minha cama. – Você tem um coração bom e forte aí.

As máquinas.
O cordão.
Tinha um garoto no meu quarto.
Levo a mão ao rosto. O tubo no nariz está intacto. Baixo os olhos para o braço. O intravenoso foi reinserido. Espio o quarto. Não há ninguém, apenas Kiyana.

Mas ele esteve aqui. Eu o ouvi. Eu o vi.

Quem era ele? Eu o conhecia? Ele disse que sim.

Sinto o calor no estômago mais uma vez. A esperança crescendo.

— Kiyana? — Minha voz é inexplicavelmente trêmula.

— Sim, meu bem? — Ela bate a caneta no saco cheio do líquido transparente preso ao intravenoso.

Engulo ar seco.

— Alguém... — Meu lábio começa a tremer. Eu o mordo antes de tentar novamente. — Alguém veio aqui ontem à noite? Uma visita?

Seu rosto se espreme enquanto ela vira uma página na prancheta. Depois, lentamente, meneia a cabeça.

— Não, meu bem. Só a enfermeira da noite. Quando você arrancou seu intravenoso dormindo.

— O quê? — Minha garganta se aperta, mas eu forço. — Eu fiz isso?

Ela assente.

— Acho que você não se deu muito bem com os remédios.

Sinto minha expressão de decepção.

— Ah.

Mas agora a imagem do garoto é muito nítida em minha memória. Posso ver seus olhos. E como seu cabelo preto caiu sobre eles quando ele se curvou para mim.

— Mas olha só — diz Kiyana com ênfase, o olhar disparando discretamente para a porta aberta, depois voltando a mim.

Um sorriso manhoso surge em seu rosto enquanto ela se curva e cochicha. — Ouvi boas notícias hoje de manhã.

Olho para ela.

— Começaram a entrevistar umas pessoas que alegam conhecer sua família.

— Verdade? — Sento-me mais ereta.

— É. — Ela confirma com uns tapinhas na minha perna coberta pelo lençol. — Centenas de pessoas telefonaram depois do noticiário de ontem. A polícia as interrogou a noite toda. — Ela olha furtivamente o corredor mais uma vez. — Mas eu não devia te contar isso, então vê se não me mete em problemas.

— Centenas? — pergunto, subitamente confusa. — Mas como podem ser centenas?

Sua voz voltou a ser um sussurro.

— Até agora, todos foram impostores. Gente que quer aparecer.

— Quer dizer que as pessoas *mentiram* sobre me conhecer?

O rosto do garoto de imediato se dissolve. Assim como o toque quente de sua mão na minha pele.

Ela balança a cabeça, numa censura patente.

— Olha, vou te contar. A culpa é da imprensa. Você virou uma celebridade da noite para o dia. Tem gente muito desesperada por atenção.

— Por quê?

— Essa é uma pergunta que precisa de muita explicação, meu bem. Uma explicação que não sei se posso te dar. Mas tenho certeza de que um dos telefonemas vai acabar se provando verdadeiro.

Sinto os ombros arriarem e o corpo afundar. Parece que minha coluna desistiu de mim.

Impostores.

Mentirosos.

Farsantes.

Será que o garoto era um deles? Alguém tentando conhecer a famosa sobrevivente do voo 121? A ideia provoca em mim uma onda de emoção. A ideia de que ele conseguiu me fazer sentir um fiapo de esperança — de uma *falsa* esperança — faz com que eu me sinta uma tola. E furiosa.

Mas talvez ele jamais tenha estado aqui. Os remédios podem ter provocado alucinações. Inventei coisas.

Inventei pessoas.

Recosto-me de novo no travesseiro, murcha. Pego o controle remoto e ligo a televisão. Minha fotografia ainda está na tela, embora tenha sido redimensionada e colocada no canto superior direito. Uma nova repórter está na frente da mesma placa do Aeroporto Internacional de Los Angeles.

"Repetimos", diz ela, "quem tiver informações sobre a identidade da menina deve telefonar para o número que aparece na tela." Surge uma carreira longa de dígitos abaixo do peito da mulher. A mesma que apareceu ontem.

E repentinamente tenho uma ideia.

— Kiyana?

Ela está escrevendo algo na prancheta; para e ergue os olhos para mim.

— Que foi, meu bem?

— Como sabem que quem ligou é um impostor?

Ela volta a olhar a prancheta e continua a tomar notas, respondendo distraidamente a minha pergunta.

— Porque nenhum deles sabia do medalhão.

Meu olhar voa para ela.

— Que medalhão?

Ela ainda não ergue os olhos, sem perceber o alarme em minha voz.

— Aquele que estava com você quando a encontraram. — A voz dela fica mais lenta ao chegar ao final da frase, e Kiyana percebe minha palidez. Algo que evidentemente ela não esperava ver.

Sua mão vai à boca, como que para recapturar as palavras que sem querer ela libertou.

Mas é tarde demais. Já estão impressas em meu cérebro desolado.

Sinto os dentes trincarem e meus olhos se estreitam enquanto volto a expressão furiosa para ela e fervo de raiva.

– Ninguém me falou nada de um medalhão.

4
MARCADA

❖

— Só não contamos a você sobre ele — diz o dr. Schatzel enquanto faz as mãos dançarem numa espécie de gesto escusatório — porque não queríamos que você ficasse impressionada.

Isso me impressiona. Ouço o bipe fraco e ritmado do monitor cardíaco começar a acelerar.

— Vocês *não* têm o direito de esconder isso de mim. É *meu*.

O médico coloca a mão em meu braço em um gesto que suponho pretender me acalmar.

— Relaxe. — Ele tenta me adular. — A polícia o mandou para análise na esperança de identificar onde foi feito ou comprado. Pensaram que talvez nos ajudasse a localizar sua família. Não se esqueça de que aqui estamos todos do mesmo lado. Temos o mesmo objetivo. E é descobrir quem você é.

Sinto a raiva crescer dentro de mim.

— Não acredito em você! — grito. — Se estivéssemos todos do mesmo lado, vocês não roubariam minhas coisas sem me contar nada. Não me obrigariam a ficar deitada nesta cama por dois dias quando não há absolutamente nada de errado comigo. — Empurro as cobertas das pernas e me sento reta.

— Violet — insiste ele —, você precisa se acalmar. Não é bom para você ficar tão agitada. Vamos lhe trazer o medalhão quando você estiver mais estabilizada. Você passou por uma experiência muito traumática e seu sistema está...

— Meu *sistema* — interrompo, irada — está ótimo! Eu já estou estável! Na verdade, *estou* estável desde o momento em que cheguei aqui. — Fico de pé. — Olha só! — grito, gesticulando para meu corpo em pleno funcionamento, coberto por um tecido azul claro e fino. — Em perfeita saúde. São *vocês* e seu desfile de enfermeiras e especialistas que têm me *tirado* a estabilidade. Ainda assim você insiste em me manter aqui. Quando vai começar a acreditar em mim? NÃO HÁ NADA DE ERRADO COMIGO!

Arranco a ventosa do peito. A máquina ao lado da minha cama grita, protestando. Kiyana encara angustiada o dr. Schatzel, que olha para o botão de chamada de emergência na parede.

Arranco a agulha intravenosa no meu braço.

— Isto? — Solto o tubo com um puxão e o deixo cair no chão. — Completamente desnecessário.

Depois arranco o tubo de ar do meu rosto.

— E isso é ridículo. Consigo respirar perfeitamente sozinha. Até melhor, agora que não tenho um tubo no nariz. E qual é o propósito disto? — Bato o dedo na tira de plástico branco que envolve meu punho.

— As pulseiras de identificação do hospital são procedimento padrão para todos os pacientes — responde o dr. Schatzel.

— Bem, então — digo, rasgando furiosamente o fecho frágil. — Não vou precisar mais disso, vou? Já que claramente não sou...

Minha voz falha enquanto o plástico se rompe e a pulseira cai do meu braço, revelando o pequeno trecho de pele por baixo. Está rosado e um tanto sensível por causa da minha luta, mas não é isso que me preocupa. Não é o que me faz ofegar e desabar na cama no momento em que eu a vejo.

— O que é isso? — pergunto, a voz agora sem ameaças. Agora fraca. À beira do colapso.

Kiyana curva-se e examina a face interna do meu punho. Espero que ela tenha a reação áspera que eu tive, mas sua expressão permanece neutra.

— Parece uma tatuagem — diz ela despreocupada.

— Uma o *quê*?

— Relaxe. — O dr. Schatzel procura me tranquilizar. — É uma tatuagem. Não há motivo para histeria.

Baixo os olhos mais uma vez e passo a ponta do dedo pela face interna do punho. E pela estranha linha preta que se estende horizontalmente em paralelo com o vinco da palma da minha mão. Tem uns seis centímetros de extensão e é muito fina. Parece ter sido gravada diretamente na pele.

— O que é uma tatuagem? — pergunto, olhando com esperança para um e outro.

— É uma espécie de marca permanente. — O médico se apressa a explicar, voltando a seu comportamento profissional e didático. — Algumas pessoas decidem decorar o corpo com elas. Em geral, as pessoas escolhem os animais preferidos, ou caracteres chineses com um significado especial, ou nomes de pessoas que são importantes para elas. Em outros casos, escolhem desenhos que são... — seu queixo aponta ambiguamente para o meu punho — ... mais obscuros.

Olho a marca misteriosa.

— Então é só isso — respondo, infundindo certeza na voz. — Um enfeite. Algo que eu *escolhi* em algum momento da minha vida.

O dr. Schatzel me abre um meio sorriso.

— Mais provavelmente.

Mas sei que ele não acredita nisso. Sei, pelo jeito como ele evita meu olhar e pela mudança nervosa na sua postura, que ele já considerou esta opção... e a descartou.

Porque, se tiver metade da lógica racional que aparenta ter, ele provavelmente chegou à conclusão a que chego agora, enquanto examino este estranho sinal preto estampado na pele como um rótulo. Como uma *marca*.

Não é lá muito decorativo.

5
VAZIO

❖

Leva pouco mais de uma hora, mas meu medalhão enfim me é trazido no final da manhã. O dr. Schatzel o coloca na bandeja ao lado da minha cama e empurra o braço giratório para que o tampo fique bem abaixo de mim.

— Infelizmente, a polícia não conseguiu deduzir onde foi comprado e, sendo assim, é outro beco sem saída — explica, recuando um passo, como quem quer me dar algum tempo sozinha com minha única e exclusiva posse nesta terra.

Estendo a mão com cuidado e pego o colar pela corrente. Estico o dedo, deixando que o pingente preto e brilhante em formato de coração fique como um pêndulo diante do meu rosto.

Examino atentamente. Em um lado da superfície do amuleto há um curioso símbolo entalhado em metal prateado fosco. É uma série de voltas entrelaçadas, torcendo-se uma na outra, sem início nem fim.

Viro o medalhão de cabeça para baixo, mas o desenho não muda.

— Que símbolo é este? — pergunto ao médico.

— Na verdade é um antigo símbolo sânscrito. Chama-se nó infinito.

— Representa alguma coisa? — Não gosto do caráter desdenhoso da minha voz.

Ele abre um sorriso forçado.

— Os budistas acreditam simbolizar o entrelaçamento do caminho espiritual, do movimento e do fluxo do tempo.

Franzo a testa, decepcionada. Tinha esperanças de que a resposta dele fosse mais útil do que isso.

— Simplificando — propõe ele, quase demonstrando solidariedade —, representa a eternidade.

Kiyana estreita os olhos para o medalhão.

— Quase parecem dois corações — afirma ela com um gesto confiante da cabeça. — Um por cima do outro. — Ela sorri. — Bonito.

Olho fixamente o símbolo, tentando enxergar o que Kiyana vê. *Parecem mesmo* dois corações. Um de cabeça para baixo e o outro na posição certa. Cruzando-se pelo meio.

— É lindo — concordo.

— Sim — também concorda o dr. Schatzel, embora sua voz tenha recuperado a severidade. — No início, a polícia acreditava ser uma antiguidade. Mas me disseram que não estava registrado em nenhum banco de dados, então não pode ser confirmado.

Como eu, penso de imediato, sentindo uma afinidade especial com o colar.

Pego o minúsculo fecho pelo lado esquerdo e consigo abrir o medalhão com a beira da unha. Minhas esperanças desmoronam mais uma vez quando vejo que o espaço entalhado em seu interior não contém nada.

—Tinha alguma coisa aqui? — pergunto, disparando um olhar acusador para o dr. Schatzel.

Ele balança a cabeça.

— Estava vazio quando trouxeram você. Suponho que houvesse alguma coisa aí dentro, mas deve ter caído durante o acidente.

Outro pedaço de mim. Perdido.

Fecho o medalhão e dou um peteleco, girando o coração vazio. A corrente de prata se enrosca sobre si mesma, torcendo-se ascendente, ameaçando estrangular meu dedo.

Só quando reduz a velocidade e começa a se desenrolar é que noto algo do outro lado.

Uma gravação.

Seguro o pingente para ele parar de girar e o trago para mais perto do rosto a fim de ler os pequenos caracteres caligráficos gravados no verso.

S + Z = 1609.

Kiyana e o dr. Schatzel me observam atentamente, esperando alguma reação.

— O que isto quer dizer? — pergunto.

O médico demonstra sua decepção.

— Era nossa esperança que você nos explicasse.

Sinto a frustração crescer dentro de mim mais uma vez.

— Por que todo mundo insiste em me dizer isso?! — grito.
— Será que ninguém por aqui tem *nenhuma* resposta para nada?

Ele meneia a cabeça com pesar.

— Lamento muito. Não é uma fórmula matemática ou científica com que estejamos familiarizados.

— S + Z = 1609 — enuncio calmamente, lendo o texto letra por letra, número por número, na esperança de que incite *alguma coisa* em minha memória. Algo neste vazio negro que tenho no lugar do cérebro.

E depois de cinco segundos longos e silenciosos, acontece.

— Um-meia-zero-nove — repito lentamente. Imagens familiares começam a serpentear em minha mente. Lampejos rápidos de rostos.

Sinto a empolgação crescer na boca do estômago.

Estou tendo uma lembrança? É assim que se parece?

Isso! Eu me lembro. Lembro-me de água. Lembro-me de destroços boiando. Corpos. Uma luz branca e forte. Vozes.

"Qual é o seu nome? Sabe onde você está? Sabe em que ano estamos?"

Depois, de repente, como uma lufada de ar saindo da sala, a empolgação passa. Arrancada de mim por uma percepção desanimadora.

Estou me lembrando do que aconteceu *depois* do desastre.

Depois que despertei em meio aos destroços de um avião no qual não me lembro de ter embarcado.

— Esse número, um-meia-zero-nove... significa alguma coisa para você, meu bem? — pergunta Kiyana, claramente interpretando a estranha progressão de emoções que meu rosto deve ter registrado.

— Sim — respondo com um suspiro debilitado. — Acho que é um ano.

6
TOCADA

❖

Cinco dias se passaram desde o acidente, e eles finalmente concordaram em me dar alta. Inevitavelmente, tiraram a mesma conclusão a que já cheguei: estou ótima. Que apesar de sobreviver inexplicavelmente a uma queda de três mil metros do céu, não há nada de errado comigo. Eles me garantiram que minha memória um dia começará a retornar e, quando acontecer, devo procurar imediatamente o hospital ou o chefe de polícia.

Abro um sorriso e concordo, embora eu esteja muitíssimo menos confiante.

Eu ficaria feliz se simplesmente me lembrasse do meu verdadeiro nome.

Mas Violet parece ter pegado. Agora quase todo mundo me chama assim. Não me importo. Creio que é um nome tão bom quanto qualquer outro.

Uma mulher da assistência social chega e me traz algumas roupas para sair do hospital. Uma calça azul que ela chama de jeans, uma camiseta branca e simples, um sutiã que Kiyana precisa me ensinar a fechar nas costas, calcinha com listras vermelhas e laranja, meias e sapatos brancos com cadarços e raios cor-de-rosa nas laterais. Nenhuma dessas peças de roupa parece caber, a não ser pelas meias. Motivo pelo qual a mulher pede desculpas profusamente.

— Desculpe-me, tive que adivinhar todos os tamanhos.

Mas não me importo. Só estou feliz por tirar aquela camisola de papel fino.

O sr. Rayunas, o homem que não teve sucesso na localização de alguém aparentado comigo (embora prometa que eles ainda não desistiram), diz que serei transferida aos cuidados de uma "família adotiva" nomeada pelo Estado.

Não sei o que isso significa. Mas o significado fica evidente quando um homem e uma mulher entram no quarto naquela mesma tarde e se apresentam como Heather e Scott Carlson. Eles me mostram fotografias de uma casa que fica a 120 quilômetros ao norte daqui, um jardim com um balanço de corda pendurado numa árvore e um menino novo de grandes olhos azuis e cachos louros desordenados que eles apresentam como seu filho de treze anos, Cody.

Estas são as peças que comporão minha família temporária. Minha vida temporária. É ali que esperam que eu me sinta em casa, até que meu lar verdadeiro seja localizado.

Vejo seus sorrisos bondosos, a linguagem corporal calorosa e simpática, e concluo que podiam ter me exigido ir para lugares piores. Além disso, ninguém aparece para me dar uma alternativa nessa questão e estou ansiosa para sair deste quarto de hospital.

— Escolhemos os Carlson devido a sua localização remota — explica o sr. Rayunas. — Eles moram em uma cidade pequena chamada Wells Creek. Na costa central da Califórnia. Ninguém fora deste quarto terá informações do seu paradeiro. Como você deve ter deduzido vendo os noticiários, de algum jeito isso se transformou em um circo da mídia. E queremos lhe dar a melhor oportunidade possível de relaxar. Heather e Scott cuidarão para que você consiga viver discretamente. Nesse meio-tempo, faremos o possível para encontrar sua família.

Ele assina um documento preso a uma prancheta e devolve ao dr. Schatzel, que parece decepcionado. Tenho a sensação de que se dependesse dele, eu não iria a lugar nenhum antes que esse mistério fosse desvendado.

Ainda bem que, pelo visto, não depende dele.

— Tem alguma coisa que podemos ajudar a guardar? — pergunta a mulher identificada como Heather Carlson, aproximando-se da cama e abrindo outro sorriso.

Balanço a cabeça e indico o medalhão preto em formato de coração que tenho agarrado nas mãos.

— É só isso que eu tenho.

Heather aperta bem os lábios e se retrai para o lado do marido, parecendo lamentar ter perguntado.

Kiyana entra no quarto segurando um saco de papel pardo.

— Estas são as roupas com que você foi encontrada.

Dou uma espiada e vejo um fardo de tecido cinza escuro, bem dobrado em um quadrado firme. Tomo nota mentalmente para examinar depois.

— Mas — continua ela — eu usaria outras, se fosse você. — Ela assente para o saco em meus braços. — Não são as peças mais bonitas que vi na vida.

— Vamos levar você para comprar roupas novas — promete Heather com ansiedade.

Procuro sorrir.

— Obrigada.

— Vamos sentir sua falta por aqui. — Kiyana aproxima-se e me abraça com força. Aperta muito. Enrijeço. É a primeira vez que ela toca em mim com tantas partes do corpo ao mesmo tempo. A primeira vez que *alguém* faz isso. Normalmente ela roça a mão de leve na minha. Ou passa a ponta dos dedos no meu rosto. Mas agora ela está em toda parte. Seus braços me sufocam. O cabelo irrita minha bochecha. Seu cheiro me domina. Não consigo me mexer. Sinto o impulso repentino de me soltar. Empurrá-la para o chão.

E, então, uma sensação agradável começa a subir pelas pernas. Um formigamento, relaxando-me quase de imediato. Minhas pálpebras ficam pesadas. Como se eu não conseguisse mantê-las abertas. Ou não quisesse. Elas caem. Junto com meu tronco. E justo quando estão prestes a se fechar, Kiyana me solta e se afasta um passo.

– O que foi isso? – pergunto, um pouco tonta do encontro.

Ela ri e toca meu cabelo.

– Tá tudo bem, querida – sussurra ela para que ninguém mais ouça. – É só um abraço.

Só entendo por completo o significado da expressão *circo da mídia* quando saímos pelas portas do hospital.

Pisco com os estranhos clarões. Eles me cegam sem parar. Meus olhos levam algum tempo para se adaptar. Minha mente demora um segundo a mais para traduzir o que estou olhando.

Gente.

Centenas e centenas de pessoas.

Mais do que já vi juntas na vida.

Sinto um aperto no peito. Começo a contá-las. Confiando que o cálculo poderá me acalmar. Se eu conseguisse determinar quantos estão ali, talvez pudesse raciocinar. Respirar. Funcionar. Mas estou ansiosa demais, perco a conta depois de 142. E o sr. Rayunas puxa meu braço, levando-me a andar *por entre* essas pessoas. O que só aumenta a tensão nas minhas costas.

Ouço vozes em toda parte. São muitas, não sei dizer se existem de fato ou se estão na minha cabeça. Elas exigem coisas de mim. Coisas que não tenho para dar.

— Você se lembra de alguma coisa?
— Você estava fugindo de casa quando subiu naquele avião?
— Tem alguma ideia da sua verdadeira identidade?
Seguro o medalhão com mais força, escondendo-o inteiramente na mão.
— Sem comentários — repete sem parar o sr. Rayunas enquanto passamos com dificuldade. Se ele espera que isso os disperse, acho que alguém precisa dizer a ele que não está dando certo.
Por fim, ele entende e acrescenta outra resposta evidentemente inútil.
— Por favor, pessoal — implora. — Ela já passou por muita coisa. Deixem que se recupere em paz.
Por um momento penso verdadeiramente que esse apelo pode funcionar. Mas dura pouco. Porque o assalto continua.
— Pode nos dizer o que se passa na sua cabeça neste momento?
— Tem algum comentário a fazer sobre como a companhia aérea está lidando com esta investigação?
— Tem certeza de que eles não estão mentindo para você?
Paro. Desvio os olhos do chão pela primeira vez. Apesar do puxão insistente em meu braço, desejando que eu continue em movimento e continue andando até chegarmos ao veículo no final da calçada, não me mexo. Alguém empurra uma vareta preta e comprida na minha cara.
— O que você disse? — pergunto.
— Tem certeza de que não estão mentindo para você? — repete uma mulher de cabelo louro e comprido, aparentando orgulho porque a pergunta *dela* enfim chamou minha atenção.
A multidão se calou. Esperam por minha resposta.
Por que eles mentiriam para mim?, pergunto-me.
Mas não consigo responder a esta pergunta também.

O mar de rostos à minha volta começa a rodar. Cada vez mais rápido. Parece um borrão. Sinto que estou caindo. Perdendo o equilíbrio. Perdendo o senso de orientação. O céu não está mais no alto. A calçada não está mais embaixo. Não sei de nada.

Sinto um leve puxão em meu braço. O mundo para de rodar. Cada rosto volta a entrar em foco. Firmo-me nos pés.

– Você está bem? – pergunta o sr. Rayunas.

Recupero o fôlego.

– Sim. Só fiquei um pouco tonta.

– Venha – diz ele. – Vamos colocar você no carro.

Eu o sigo voluntariamente, com os olhos grudados no chão, que passa rapidamente sob meus pés. Sinto um formigamento nas pernas. Elas mandam sinais ao meu cérebro, dizendo-me para correr. Mas eu as mantenho no ritmo do meu acompanhante.

Chegamos ao veículo preto e comprido no final da calçada e alguém fala para eu tomar cuidado com a cabeça quando entro. Jogo-me no banco. Alguém bate a porta, o que me assusta.

Heather e Scott já estão ali dentro. Sentindo-me protegida pela janela de vidro que agora monta guarda na minha frente, encontro coragem para olhar a muralha de gente que acabamos de atravessar. Ainda chamam meu nome, exigindo minha atenção. Mas agora suas vozes se fundem em um zumbido alto e abafado. Não consigo mais distinguir uma pergunta de outra.

Observo a tentativa do sr. Rayunas de voltar ao hospital. Meus olhos percorrem a multidão, examinando rostos. Feições. Olhos. Alguém ali tem olhos parecidos com os meus? Kiyana disse que nunca viu olhos iguais aos meus. Da cor de violetas. Certamente recebi esta característica de um de meus pais. Então talvez eu os reconheça. Quando vierem me procurar.

Se vierem me procurar.

Deixo que meus dedos cerrados se abram ligeiramente enquanto olho o medalhão em minha mão.

Quem me deu isto?

Quem era importante para mim?

Se eu o estava usando quando entrei no avião, provavelmente ele importava. Provavelmente *eles* importavam.

Começamos a nos mover. As pessoas desaparecem pela janela. Rostos antigos são substituídos por novos. Entretanto, todos têm uma característica em comum: olham para mim.

Viramos uma esquina, e é quando vejo o rosto dele.

O menino que entrou no meu quarto. O mesmo cabelo preto e grosso. Os mesmos olhos intensos cor de bordo. E, enquanto meu olhar encontra o dele, o mesmo sorriso torto e gentil.

Será que estou alucinando de novo?

Ou ele é real?

Começa uma estranha ardência entre meus olhos. Fica mais quente a cada segundo. Como um refletor apontado pouco acima da ponte do meu nariz. Estremeço e toco a pele. Parece normal. Até fria.

Porém, quanto mais tempo eu o olho, maior é o calor em minha testa. Parece um fogo. Uma febre. Mas não é violento. É...

Calmante.

Quase pacífico.

Como se de repente não importassem mais os dezesseis anos de uma vida esquecida. Nada importa.

Olho a maçaneta. Pouso os dedos cautelosamente no fecho prateado e brilhante. Mas então ouço a voz de Kiyana em minha cabeça — *querem aparecer... impostores... desesperados por atenção* —, e a febre deixa de ter poder sobre mim.

Ele não é *nada*, digo a mim mesma.

Seu sorriso nada significa.

Minhas mãos voltam ao colo. Com esforço, consigo desviar os olhos dele. E, assim que faço isso, minha testa volta ao normal.

Aperto o medalhão, o fecho de metal cavando a pele.

Continuamos em movimento. As pessoas mudam constantemente diante dos meus olhos. À medida que ganhamos velocidade, seu número é cada vez menor, até que todas desaparecem completamente.

7
LAR

❖

Os Carlson me contam que moram em uma antiga casa de fazenda construída no início dos anos 1900. De acordo com eles, antigamente a cidadezinha de Wells Creek era de agricultores, mas nos últimos cinquenta anos foi tomada por refugiados urbanos que ansiavam por espaço e silêncio.

Eles me disseram que levará três horas para chegarmos até lá. Os Carlson viajam no banco traseiro comigo enquanto alguém chamado Lance opera o veículo. Heather chama isto de carro.

Gosto de como o carro se move. Suave, com solavancos ocasionais, que Scott diz se deverem à insuficiência no orçamento do estado da Califórnia. Concordo com a cabeça como se isso fizesse sentido para mim, embora não faça.

Por dentro, é muito agradável. Couro preto macio e sedoso na ponta de meus dedos. Botões que fazem coisas, como aqueles ao lado da minha cama no hospital. Pergunto a Heather e Scott se o carro pertence a eles e parece que os dois acham graça da minha pergunta.

— Bem que queríamos! — responde Scott. — A companhia aérea mandou. Acho que é o mínimo que eles podem fazer.

— Por que isso? — pergunto.

Ele passa as mãos nos joelhos das calças.

— Bem, algumas pessoas estão dizendo que foi negligência da parte deles. O fato de que seu nome não estava na lista oficial de passageiros. Mas, para ser franco, provavelmente foi um erro do computador. Acontece o tempo todo.

— Scott trabalha com computadores — esclarece Heather, tocando a perna do marido.

— O que é um computador?

Scott sorri.

— Ah, sim. Basicamente, é um aparelho ou máquina que processa informações e faz operações. Mas você pode programar para fazer o que quiser hoje em dia.

— É mesmo?

— A maioria das coisas — diz ele com orgulho. — Os computadores estão ultrapassando rapidamente a inteligência humana.

Acho essa declaração estranha.

— Como se programa um computador para ser mais inteligente do que você?

— A gente o programa para pensar sozinho, depois ele evolui e fica mais inteligente do que nós. Os computadores podem absorver informações com mais rapidez e uma eficiência muito maior do que um ser humano.

— Se eles são mais inteligentes do que você — começo, pensativa —, não tem medo de que um dia eles venham a destruir você?

Os dois riem.

— Você devia arrumar um emprego em Hollywood — diz Scott. — Mas, não. Não funciona assim. Só nos filmes. Veja bem, os computadores podem ser mais inteligentes do que o homem, mas eles não reagem como humanos. Não sentem emoções, como ganância, inveja e raiva. São estas as emoções que podem levar alguém a querer destruir outra pessoa.

Concordo com a cabeça e me viro para a janela, conseguindo espiar, pelo canto do olho, Heather e Scott se entreolhando rapidamente.

Chegamos a casa e de imediato entendo o que eles querem dizer com tranquila. A construção singular fica aninhada na encosta de um morro e cercada de centenas de árvores imensas que a escondem quase inteiramente de vista. Noto o balanço de corda da fotografia que eles me mostraram, pendurado em um galho de uma das árvores maiores. Scott me diz que fez para o filho, Cody, quando ele era mais novo, mas agora ele quase nunca o usa.

Heather aponta o caminho coberto de folhas que desaparece na beira de um pequeno outeiro. Ela me diz que leva ao riacho.

— É de onde vem o nome Wells Creek — ela me informa. — Passa pela maior parte da cidade. Cody e os amigos costumavam disputar competições de veleiros caseiros ali.

Meu quarto fica no segundo andar da casa. É decorado em branco e azul-claro. Tem uma cama no meio, uma mesa pequena no canto, uma cômoda e uma cadeira que balança quando a gente senta. Também tem uma porta para um banheiro que pode ser atravessado e dá em outro quarto.

— Cody está no acampamento de verão — diz Heather, gesticulando para a porta entreaberta do outro lado do banheiro. — Acampamento de ciências.

Curvo-me para espiar seu interior e tenho o vislumbre de uma mesa coberta com vários pedaços de circuitos não identificados.

— Ele gosta de desmontar as coisas — acrescenta ela, acompanhando meu olhar. — Eu só queria que também gostasse de remontá-las.

Abro um sorriso, sentindo que é uma piada pelo jeito como os olhos dela se enrugam quando diz isso. Gosto de piadas. Kiyana costumava fazer algumas no hospital. Mas elas me parecem muito complicadas. Parece algo que requer uma habilidade especial. Será que um dia vou fazer piadas?

— Talvez *você mesma* tenha ido a um acampamento de verão — reflete Heather.

— Talvez — concordo, enquanto uno a definição das duas palavras, criando uma visualização do que podem significar. *Acampamento de verão*. Procurar abrigo em barracas durante o verão?

— Ele chega em casa amanhã — continua ela. — Vou assegurar que ele use nosso banheiro, para você ter privacidade. Pode deixar esta porta trancada, se você se sentir melhor assim. — Ela fecha a porta do quarto de Cody e vira a pequena saliência abaixo da maçaneta, demonstrando como funciona a tranca.

Em resposta, dou de ombros, perguntando-me se sou uma pessoa reservada.

Passo o polegar de um lado a outro da tatuagem fina e preta no punho, como se a resposta estivesse pouco abaixo da minha pele.

— Está com fome? — pergunta ela. — Posso preparar o almoço.

— Sim — digo, colocando o medalhão na cômoda e acompanhando-a escada abaixo até a cozinha.

Vinte minutos depois, sento-me à mesa com Scott. Heather coloca um prato diante de mim.

— Se eu soubesse qual é o seu prato preferido, teria preparado.

Cautelosa, examino o item desconhecido que esperam que eu consuma.

— Se eu soubesse a minha comida preferida, teria dito a você — respondo, provocando o riso de Heather e Scott. Isso me pega de surpresa.

Heather senta-se em uma cadeira e coloca um guardanapo no colo. Scott faz o mesmo, então eu os imito, supondo que é o certo a fazer.

— Este é o preferido de Cody, então resolvi arriscar. É queijo quente. Bem básico.

Examino meu prato, notando como o queijo laranja e gelatinoso escorre pela beira do pão e parece se grudar nas laterais. Pego uma metade e seguro hesitante entre os dedos. Esta é minha primeira comida de verdade desde o desastre de avião.

Heather e Scott me observam atentamente enquanto dou uma mordida.

O sabor explode na boca, dominando-me e me enchendo de um júbilo que não compreendo muito bem. A textura é ao mesmo tempo crocante e cremosa e libera um aroma cada vez mais delicioso em minha boca sempre que mastigo.

Sei que não me lembro de nada, mas tenho certeza de que esta é a coisa mais maravilhosa que já comi. Não entendo como não pode ser. Será possível existir outra tão deliciosa?

Solto um gemido curto e involuntário, e Heather e Scott riem.

O sabor por fim começa a evaporar, e o pedaço em minha boca fica encharcado. Engulo e de imediato avanço para outra dentada. Esta é tão agradável quanto a primeira, e solto um suspiro de satisfação.

— Acho que significa que você gostou — confirma Heather.

Não falo nada, com medo de que a abertura da boca deixe escapar uma parte do delicioso sabor. Simplesmente concordo com a cabeça e sorrio. Heather e Scott riem de novo.

— Fico tão feliz com isso — diz Heather.

Engulo a segunda dentada.

– É a coisa mais maravilhosa que já provei – digo com entusiasmo.

Heather fica radiante e pega metade do próprio sanduíche. Não consigo deixar de me maravilhar com a felicidade que ela aparenta. E me vejo feliz também. Talvez seja isso que a comida deva fazer.

Naquela noite, quando me recolho ao quarto, esvazio o saco de papel pardo que Kiyana me deu no hospital, derramando seu conteúdo na cama.

Num torpor, examino as peças desconhecidas de tecido cinza-escuro.

As roupas com que fui encontrada.

Eu queria tanto que tivessem algum significado. Queria poder me lembrar de tê-las escolhido. De tê-las vestido. Será que eu guardava em uma cômoda como a deste quarto?

Sem pensar, tiro a camiseta branca, o jeans e minha roupa íntima de listras vermelhas e laranja. Guio os braços pelas mangas curtas da blusa cinza de gola, observando como é macia e parece gasta.

Isto quer dizer que era minha preferida?

Há botões brancos por toda a frente. Trabalho rapidamente, fechando cada um deles. Depois visto a calça no mesmo tom de cinza, puxando-a pelos quadris e prendendo-a com a tira de tecido que enlaça a cintura.

Olho-me no espelho de corpo inteiro pendurado na porta do banheiro. O conjunto é confortável, mas certamente não é espalhafatoso. Na verdade, observando meu reflexo, vejo que é muito insípido. Quase melancólico.

Eu era uma pessoa melancólica?

Ou talvez as pessoas usem roupas assim em longos voos para a Ásia.

Evidentemente, é o que eu visto.

Mas, por algum motivo, agora parece que está tudo errado. As roupas cabem fisicamente, porém, quanto mais tempo fico nelas, mais inquieta me torno. De súbito, tenho o impulso desesperado de me livrar delas com a maior rapidez possível. Tiro a blusa pela cabeça, puxo as calças para baixo e as retiro esperneando os tornozelos, me sentindo melhor quase imediatamente.

Fico de calcinha, com a respiração pesada por um momento antes de colocar um pijama de algodão cor-de-rosa que Heather me emprestou para dormir.

É apenas quando me curvo para pegar os trajes cinza descartados no chão que percebo a pequena aba branca presa ao forro da calça.

Seguro e examino a aba atentamente.

É um bolso.

E depois de esfregar o tecido com a ponta dos dedos, concluo que sem dúvida alguma tem algo ali dentro.

Espremo os dedos por seu interior e retiro uma folha de papel amarelada, amassada e gasta. A textura envelhecida me diz que esteve na água comigo.

Levo o papel para a cômoda e o abro, alisando-o na superfície de madeira.

Curvo-me e estreito os olhos para as letras trêmulas e desbotadas, escritas à mão em tinta preta e grossa. A água salgada certamente cobrou seu preço, mas ainda consigo distinguir as únicas duas palavras visíveis na página.

Confie nele.

Um bolo se forma em minha garganta, mas rapidamente o engulo. Leio o bilhete sem parar, sentindo-me mais desanimada a cada vez.

Confie nele?
Confiar em quem?
Quem escreveu isto?

Fecho bem os olhos, tentando livrar-me da frustração que cresce dentro de mim, mas é inútil. A emoção me domina. Coça por baixo da pele. Arde em mim, de dentro para fora.

Por que tudo precisa ser tão enigmático? Por que nada pode fazer sentido?

Amasso o bilhete e enterro em meu punho. Depois pego o medalhão em cima da cômoda e me sento na cadeira que balança. Fico me balançando até que a exasperação passa.

Abro o pingente de coração e observo o vazio, pensando no que poderia ter estado ali dentro. O que poderia ter se perdido no mar junto com as lembranças de minhas comidas preferidas, viagens de carro e acampamentos de verão.

Ecoa em minha mente algo que Heather disse enquanto eu a ajudava a lavar os pratos depois do almoço de hoje.

— Não estamos aqui para substituir sua verdadeira família — explicou-me ela. — Quero que você saiba disso.

Eu disse a ela que já sabia.

— Estamos aqui para ajudar até que eles sejam encontrados. E tenho certeza absoluta de que eles *vão* ser encontrados. Mas estamos aqui para lhe dar apoio pelo tempo que você precisar.

Agradeci a ela e coloquei o prato que tinha na mão no lava-louças que ela me mostrara alguns minutos antes. Gostei de ver como cada prato tinha um lugar feito especialmente para ele. Uma ranhura de tamanho perfeito.

Enquanto seguro o medalhão e leio mais uma vez a inscrição, $S + Z = 1609$, me pego imaginando se existe um lugar assim para mim. Talvez exista. Mas talvez, também, tenha se perdido para sempre.

Todo mundo à minha volta tem muita confiança de que um dia vou me lembrar. Que minha família será encontrada, minhas lembranças serão restauradas e minha vida me será devolvida.

Infelizmente, porém, não partilho dessa convicção. Não acredito no que eles acreditam com tanto fervor. Porque, por algum motivo, minhas lembranças não parecem temporariamente extraviadas. Parece que elas *morreram*.

E, se for assim, minha única chance de ter uma vida que possa chamar de minha é criá-la eu mesma.

Coloco a folha de papel amassada dentro do medalhão e o fecho. Depois me levanto e volto à cômoda. Abro a primeira gaveta e ali deposito o colar, jurando esquecê-lo, junto com todo o resto do meu passado.

Jurando seguir em frente e encontrar meu novo lugar perfeito.

8
ÁVIDA

Estou de volta à multidão. Tentando sair do hospital, mas não consigo passar. O enxame de gente é denso demais. Fazem-me perguntas. Puxam minhas roupas. Seguram-me por braços, pernas e cabelos. Puxam-me para lados diferentes.

Minha escolta foi tragada à minha frente. Estou sozinha.

Tento afugentá-los. Mas eles são fortes demais. Porque são muitos.

Eu peço, imploro que me deixem passar. Mas eles não atendem. Tento chamar a atenção de alguém, mas, um por um, eles desbotam diante dos meus olhos. Até que todos se misturam e se transformam em um gigantesco e escuro estranho. Com olhos azuis frios e impiedosos e um largo sorriso sinistro. Suas feições estão na sombra, mas sei que ele me observa.

Sempre observa.

Ele não fala. Jamais fala. Apenas olha.

Há uma fome em sua presença. Uma ganância. Ele me quer. Ele espera por mim. E a cada dia seu desejo por mim fica mais forte.

Retraio-me sob seu olhar, ansiosa para me afastar. Mas não tenho para onde ir. Estou aprisionada. Sou prisioneira dele.

Sua voz surge da escuridão como uma serpente rastejando para a luz. "Quando ela estará pronta?", pergunta ele.

Grito, e então acordo.

Este é meu primeiro sonho.

9
SCANNER

❖

Hoje, Heather precisa fazer uma coisa chamada supermer-cado; comprar comida para a volta de Cody. Scott está no trabalho, ela não quer me deixar sozinha em casa e me leva, prometendo que ninguém vai me reconhecer.

Ainda assim, sinto-me melhor quando ela me oferece um boné azul-marinho com um logotipo branco na frente.

– Scott torce para esse time de beisebol – explica ela ao puxar a aba para a testa, escondendo a maior parte do meu rosto na sombra. Depois coloca sobre meus olhos algo que chama de óculos de sol, e o mundo fica alguns tons mais escuro.

– Agora posso imaginar como devem se sentir todas aquelas celebridades – diz ela, rindo, enquanto saio do carro.

Heather me emprestou mais algumas peças de roupa para usar até que tenhamos a oportunidade de comprar algumas para mim. A calça é grande demais e precisa ser segura por um cinto, e a blusa verde de gola é comprida, mas cobre o cinto.

Entramos na loja e de imediato paro e capto a visão impressionante.

Mercado: um lugar para comprar e vender mercadorias.
Super: muito grande.

Heather coloca a mão gentil em meu cotovelo.

— Está tudo bem. É só ficar perto de mim.

Obedeço, observando com imensa curiosidade enquanto ela coloca item por item no carrinho. Durante o percurso Heather faz comentários sobre o amor de Cody por certos alimentos e sua alergia a outros. Ela tenta imaginar o que possa me agradar, fazendo referência a coisas que viu ou ouviu na televisão sobre o que as adolescentes preferem comer.

Apesar do tamanho assombroso, rapidamente concluo que gosto do supermercado. Tem palavras para ler e coisas para contar em toda parte. Agrada-me que alguém tenha se dado ao trabalho de rotular tudo. Cada corredor. Cada pacote. Cada ingrediente. É extremamente útil para alguém como eu. Devoro avidamente as palavras. Alguns rótulos mais simples fazem sentido. Por exemplo, ovos, leite e suco de laranja. Tenho dificuldade para ver significado em outros, como cereais Apple Jacks, soda-limonada e molho Thousand Island.

— Eu compraria alguma maquiagem para você — diz Heather enquanto andamos por um corredor identificado como Produtos de Beleza —, mas juro que você não precisa de nenhuma. Suas feições são impecáveis.

Depois ela ri baixinho consigo mesma.

— Que engraçado, era o que minha mãe costumava me dizer quando eu era adolescente e sempre odiei isso. — Ela retira alguns pacotes de uma prateleira e joga no carrinho.

— Você come carne? — pergunta Heather ao nos aproximarmos de uma caixa de vidro grande, tomada de um sortimento de fatias grossas e vermelhas.

Olho pelo vidro, lendo a variedade de ofertas.

— Não me parece familiar — confesso, de repente sentindo-me um pouco enjoada.

— Bem, quando você come tem outra aparência — explica ela. — Primeiro a gente cozinha e então a carne fica marrom.

Concordo com a cabeça.

— Ah. Está bem.

— Você pode experimentar para saber — propõe. — Se não gostar, não precisa comer. Muita gente por aqui não come carne. Chama-se ser vegetariano. Talvez você seja assim.

Dou de ombros.

— Talvez.

Depois que nosso carrinho está cheio até a borda, Heather o empurra para a frente da loja e estaciona atrás de outra pessoa. Observo a mulher à nossa frente esvaziar o conteúdo do seu carrinho em uma esteira transportadora. Uma jovem caixa pega cada item e passa por uma superfície de metal, produzindo um bipe. Noto uma tela pequena que mostra um nome e um número depois de cada registro.

Bipe. Geleia de uva: $2,99.

Bipe. Açúcar mascavo: $4,79

Bipe. Aveia em flocos: $5,15.

— É só isso? — pergunta a garota vários minutos depois, quando o carrinho fica vazio.

A mulher assente.

— Por hoje, é só. Qual é o total?

A caixa aperta alguns botões em uma máquina à sua frente e ouço uma voz sussurrar, "$187,22".

Só quando este mesmo número aparece na tela e a garota repete, noto que a voz que ouvi foi a minha. A percepção me surpreende, embora eu não saiba o motivo. Acho que eu não tinha consciência de estar calculando.

Heather me olha com admiração.

— Impressionante.

Ela avança com o carrinho e começa a descarregar.

— Scott também sabe fazer contas grandes de cabeça — diz ela. — A matemática nunca foi o meu forte. Parece que descobrimos sua matéria preferida na escola. — Ela se vira e dá uma piscadela para mim.

A caixa começa a passar nossos itens.
Bipe. Tomate enlatado: $1,29.
Bipe. Doritos: $2,79.
Bipe. Pop-Tarts: $3,85.
Outra esteira pega os itens do outro lado da placa de scanner metálica e um jovem de avental vermelho coloca cada um deles num saco. Parece o saco que Kiyana usou para colocar minha roupa cinza e tediosa.
Bipe. Pimenta verde: $0,99.
A caixa coloca a lata de pimenta verde na segunda esteira, mas ela fica presa entre a borda de metal e o início da esteira. Olho fascinada a latinha girar em círculos impotentes, tentando se soltar.

— Hmm, pode pegar isto para mim?

Ergo os olhos e vejo o jovem de avental vermelho gesticulando para a lata giratória.

— Sim, desculpe — digo. Mas quando estendo a mão para pegá-la, sou impedida por um ruído agudo e assustador.

BIIIIIIIIIIIIIIIIIIIIIIPE!!!!

O barulho pega de surpresa a mim, Heather, o jovem e a caixa. Solto a lata de pimenta verde e rapidamente retiro a mão.

A caixa registradora continua estridente enquanto a funcionária aperta botões no teclado, de maneira confusa e em vão. A tela exibe as palavras *Erro. Impossível ler.*

— Que estranho — diz ela. — Deve estar com defeito. Não sei o que aconteceu. Vou chamar o gerente.

Enquanto ela pega um telefone próximo, olho disfarçadamente meu braço esquerdo. Aquele que se estendeu sobre o scanner quando o barulho começou.

Viro a mão e examino a face interna do punho. A pele em volta da tatuagem pulsa. Passo o polegar pela marca preta e fina. Está quente. Estranhamente quente. Recolho a mão com rapidez, deixando escapar um leve ofegar.

— Qual é o problema? — pergunta Heather, olhando-me com as sobrancelhas unidas.

Sacudo o punho. O formigamento sutil já começou a desaparecer.

— Nada.

A caixa registradora enfim se silencia e a funcionária desliga o telefone.

— Desculpe-me por isso. — Ela pega o item seguinte e o passa.

Bipe. Pizza congelada: $4,82.

A pizza viaja pela esteira e entra no saco pardo que a espera.

Parece que tudo está de volta ao normal.

— Seu total é de $102,49 — diz animadamente a caixa.

O homem de avental vermelho coloca os sacos em nosso carrinho agora vazio enquanto Heather passa um pequeno cartão plástico por uma máquina instalada no balcão e aperta uma série de números no teclado. Isso parece finalizar a transação. Ela agradece à caixa e me leva para a frente, empurrando o carrinho.

Andamos pelo estacionamento em silêncio. O ar fresco é bom. Heather aperta um botão em seu chaveiro e a mala do carro se abre. Ela começa a transferir os sacos de comida do carrinho.

— Ah! — exclama de repente, lançando as mãos para o alto. — Esqueci o sour cream para a pasta de cebola. Quer terminar de colocar as compras no carro enquanto corro até lá para comprar?

Dou de ombros.

— Tudo bem.

— Só vou levar dois minutos — promete ela e corre, voltando à loja.

Pego um saco no carrinho e coloco com cuidado dentro do carro, como observei Heather fazer segundos atrás. Posiciono-o junto do fundo para ganhar espaço. Quando volto para pegar o seguinte, sinto alguém parado atrás de mim.

Dou um salto e puxo o ar para dentro repentinamente.

Reconheço-o na mesma hora. É o garoto. Aquele que estava na multidão ontem. E no meu quarto de hospital.

Aquele que eu ainda penso ter sido uma alucinação.

Mas agora ele está aqui. Perto. Poderia estender a mão e tocar nele, se quisesse. E por algum motivo incompreensível, eu *quero*. Sinto meus dedos tremerem de expectativa. Mas obrigo minhas mãos a ficarem onde estão.

— Desculpe-me — diz ele. — Eu não pretendia assustá-la.

O garoto me olha fixamente com um sorriso frouxo e estranho. Seus olhos cintilam. Ele se aproxima um passo e de repente eu me sinto embrulhada.

Recuo, lembrando-me de que ele mentiu. Ele é um *deles*. Os impostores que querem aparecer na mídia. Uma fraude.

— Quem é você? — exijo saber.

Vejo o sorriso desaparecer do seu rosto. Substituído por uma expressão triste e séria. As sobrancelhas castanhas e grossas se unem, formando um vinco fundo na testa.

— Então é verdade, não é?

Não sei do que ele está falando, então fico calada.

Ele passa os dedos no cabelo.

— Nem acredito que isso esteja acontecendo. — Sua voz falha. Ele olha o chão. Quando volta a falar, mal passa de um sussurro. — Você realmente perdeu tudo.

— Desculpe — digo, tentando projetar uma voz firme enquanto puxo mais para baixo a aba do boné e ajeito os óculos escuros. — Mas eu não conheço você.

É a verdade, digo a mim mesma.

– Mas você conhece – insiste ele. – Só precisa se esforçar mais. – Mesmo através dos óculos escuros, os olhos dele estão fixos nos meus, deixando-me com uma sensação estranha. Quase tonta.

– Lembra-se de mim? – pergunta ele. Lentamente. Resoluto. Pronunciando cada sílaba como se fosse uma chave que abre uma porta secreta.

E então ouço outra voz. Distante. Fraca. Abafada.

Sim.

Sim, *sempre*.

Balanço a cabeça, rompendo seu olhar.

– Não – murmuro, virando-me para pegar outro saco. Coloco no carro, girando os outros para que todos fiquem voltados para o mesmo lado.

Ouço um suspiro atrás de mim. Alguns instantes depois, um riso fraco.

– Você sempre foi teimosa. Equipada para desconfiar, suponho.

Faço o máximo para ignorá-lo.

– Mas, se eu tiver que começar tudo de novo, começarei – insiste.

Carrinho. Saco. Mala do carro.

Ele volta a falar. Agora, há desespero em sua voz. Penetra em algo dentro de mim. Algo que não consigo situar.

– Por favor, Sera. *Tente*.

Giro o corpo devagar.

– Do que você me chamou?

– Sera – sussurra ele. – É o seu nome. Abreviação de Seraphina.

Espero por uma reação. Certa de que, se ele disse a verdade, meu nome verdadeiro me provocaria *alguma* sensação.

Mas não provoca.

— Não se lembra de nada disso? — pergunta ele. — Do que descobrimos? Por que fugimos? Como você veio parar aqui?

— Eu sobrevivi a um acidente de avião — digo, categoricamente.

Ele solta uma gargalhada grave e gutural.

— Ah, por favor. Você nunca esteve naquele avião e sabe disso.

Engulo em seco, sentindo algo inchar em meu peito. Ficamos ambos em silêncio por um bom tempo. Os olhos dele me desafiam a negar. A virar a cara.

Não consigo fazer nem uma coisa nem outra.

— Quero que você vá embora — é tudo o que digo.

É a verdade, repito a mim mesma. Mas, desta vez, soa muito menos convincente.

Eu não o conheço. Não me lembro dele. Não posso confiar nele.

Pigarreio.

— Sei que você é um impostor tentando aparecer nos noticiários.

— Se isso fosse verdade — diz ele —, eu teria ido direto à imprensa. E não procurado por você.

Dou-lhe as costas, mergulhando ainda mais no carrinho. As sacolas estão acabando.

— E — continua ele — eu não saberia sobre o medalhão.

Fico petrificada. Piscando sem parar. Os carros em volta viram um borrão.

Ele está bem atrás de mim. Acho que sinto sua respiração em meu pescoço, mas me convenço de que é só uma brisa passageira. Uma linda e doce brisa de verão.

— Mas eu *sei* dele. — O garoto pressiona. — Porque fui eu que o dei a você.

Viro-me e abro a boca para responder, embora não tenha a mais remota ideia do que dizer. O calor entre meus olhos retorna. Rapidamente fica quente.

O que é isso?

Contraindo-me, tiro os óculos de sol. Empurro o boné para cima e coloco o dedo na testa.

Ele percebe, e um sorriso estranho e malicioso vem a seus lábios. Os olhos voltam a cintilar.

— Então você *se lembra* — diz ele. — Pelo menos parte de você se lembra.

Ele estende a mão para o meu rosto. Entro em pânico e me afasto. Minha respiração se acelera e, apesar dos meus esforços, parece que não consigo controlá-la.

Vejo as portas do supermercado se abrirem. Heather sai, carregando um pote plástico pequeno numa das mãos — o sour cream de que ela falou, imagino — e um recibo na outra.

Desta vez eu quero de verdade que ele vá embora e sei que ela vai cuidar disso.

O garoto acompanha meu olhar pelo estacionamento e vejo sua expressão se alterar. A calma palpável repentinamente é transformada em alarme. O que só confirma o que venho tentando dizer a mim mesma durante todo o tempo.

Ele é uma fraude.

—Tudo bem — diz ele apressadamente. — Era minha esperança ter mais tempo, mas, pelo visto, não tenho, então, me escute, por favor.

Ele volta a se concentrar em mim, seu olhar agarrando-se ao meu com tal intensidade que interrompo minha respiração.

— Sera, você corre perigo. Você não é quem pensa ser. Há pessoas procurando por você, e acredite em mim quando digo que você *não vai* querer que elas a encontrem.

Balanço a cabeça, perplexa. O que está acontecendo? Por que ele diz essas coisas? Por que estou tão confusa?

Eu não o conheço. Não me lembro dele. Não posso confiar nele.

Repito isso sem parar. Como um mantra.

— E é por isso — diz ele com mais ênfase agora — que é extremamente importante que você não atraia a atenção de ninguém. Em particular da imprensa. E de fotógrafos. Continue usando o boné. Faça o que for necessário para se esconder.

Por que Heather está demorando tanto? A essa altura ela já deveria estar aqui.

Levanto a cabeça e vejo que ela parou no meio do estacionamento para falar com uma mulher que carrega um bebê. A julgar pela linguagem corporal das duas, suponho que se conheçam. Heather faz cócegas na criança pequena, que ri às tontas.

— Sei que você não acreditaria em nada do que digo — continua o garoto, atraindo minha atenção de volta para ele. — Pelo menos até que consiga entender tudo sozinha. E sei que você vai tentar se convencer a rejeitar o que está sentindo agora. Simplesmente porque você é assim. Mas também sei que a lembrança está aí, em algum lugar. Eu estou aí em algum lugar.

Baixo os olhos para o chão, mas ele abaixa a cabeça para acompanhá-los.

— Você só precisa encontrar — insiste ele.

Sua voz é grave. Suplicante. Provoca tremores em minhas mãos.

Heather terminou a conversa e caminha em nossa direção. Ela examina atentamente nossa interação, ao que parece só agora notando o garoto. Redobra a velocidade.

Ele olha na direção dela, depois para mim.

— Sera, você precisa *tentar* se lembrar.

Não suporto mais. O formigamento na pele. O calor. Os olhos. É demais. Afasto-me dele e pego o último saco no carrinho. Coloco no porta-malas, tentando bloquear o som da voz dele. Mas ela continua a se infiltrar por todas as minhas barreiras mentais.

– Não confie em ninguém – insiste. – Procure se lembrar do que realmente aconteceu. Procure se lembrar *de mim*.

Concentro-me em uma caixa de pizza congelada que espia pelo alto de uma das sacolas.

São 290 palavras.

São 1.432 letras.

A contagem parece funcionar. Não consigo mais ouvi-lo. Minha testa já esfria.

São 108 ocorrências da letra *A*.

São 87 ocorrências da letra...

– Quem era esse? – Ouço a voz de Heather atrás de mim e giro o corpo.

– Quem?

– Aquele garoto que estava agora mesmo falando com você.

Penso em lhe contar a verdade. Repetir tudo o que ele me disse. Mas a voz dele ainda soa em meus ouvidos.

"Não confie em ninguém."

Examino o rosto gentil e bondoso de Heather. Pode ser que eu não me lembre de muita coisa, mas é difícil acreditar que ela seja perigosa.

Ainda assim, por algum motivo, disfarço.

– Ele me reconheceu do noticiário. Disse a ele para me deixar em paz e ele foi embora.

Talvez porque seja nisso que eu queira acreditar tão desesperadamente.

Heather parece satisfeita com a resposta e vai fechar a mala do carro. Sutilmente, passo os olhos pelo estacionamento, procurando algum vestígio do garoto, mas não o vejo em lugar nenhum. Se Heather não tivesse perguntado dele, talvez eu finalmente conseguisse me convencer de que ele jamais existiu.

Mas ele existiu.

E, mais do que isso, ele sabe do medalhão.

Heather abre a porta do carro para mim e eu quase me jogo para dentro, grata por ter algo sólido abaixo dos pés.

— Bem, Violet — diz ela, rindo, enquanto se coloca do lado do motorista e prende o cinto de segurança —, você sobreviveu ao supermercado. Agora pode conquistar quase qualquer coisa.

Abro um sorriso educado e volto o olhar para a janela. *Violet*, repito em silêncio, o nome temporário de repente cabendo tão mal quanto as roupas emprestadas.

10
ESCRITO

❖

O filho de Heather e Scott está em casa quando chegamos do supermercado. É menor do que pensei. Sua fotografia de algum modo o fez parecer mais alto. Porém, de pé, ele bate no meu ombro. Seus braços são finos. O rosto é novo. De criança. Embora tecnicamente eu não saiba como deve ser alguém de treze anos, Cody não me parece alguém apenas três anos mais novo do que eu. Mas talvez as pessoas cresçam muito entre os treze e os dezesseis anos. O cabelo dele é louro-escuro. Brota para lados diferentes. Óculos redondos com armação de metal cruzam o rosto pontilhado de sardas castanhas e laranja.

– Mãe – diz o menino, agitado e passando a mão nos cachos desordenados –, você não me disse que ela era uma *gata*. – A julgar por seu tom sussurrado e como ele desvia os olhos de mim quando fala, não acredito que ele pretendesse que eu ouvisse. Mas eu ouvi.

Heather sorri e mexe no mesmo cabelo que Cody tentou ajeitar.

– Que importa a aparência dela?

Os olhos dele disparam para mim e desviam outra vez.

– *Importa sim* – diz ele, de dentes bem cerrados.

– Violet – diz ela com um sorriso –, este é nosso filho, Cody, que pelo visto acha você uma *gata*.

— Mãe! — Os olhos dele se arregalam e seu rosto assume um curioso tom de vermelho.

— Parece um bicho comum — respondo, meio confusa com o diálogo.

Heather ri novamente.

— Violet ainda não recuperou a memória — explica ela com delicadeza. — Não está familiarizada com muitas gírias. — Ela coloca um braço no ombro de Cody. — Talvez você possa lhe ensinar as palavras *da hora* que os adolescentes estão usando. Ajude Violet a ficar descolada.

Os olhos de Cody se reviram. É uma expressão que nunca vi, mas tomo nota mentalmente para experimentar na frente do espelho depois.

— Antes de mais nada, mãe — diz ele com um gemido —, ninguém usa mais *da hora*, só você, e depois, eu sou a última pessoa no mundo que alguém deve procurar para ser descolado.

— Bem, isso não é verdade — argumenta Heather. — Para mim, você é descolado.

Os olhos de Cody reviram outra vez.

— Que ótimo — diz ele, a voz rouca e sem sinceridade. — Minha *mãe* me acha descolado. Tenho certeza de que as garotas do primeiro ano vão ficar loucas por mim.

Heather olha para mim.

— Cody vai começar no ensino médio daqui a duas semanas. Ele está meio nervoso.

— Mãe! — Ele tira o braço dela do ombro. — *Para!*

Vejo que ele passa a alça de uma mochila grande pelo braço e sobe a escada. Fico intrigada ao constatar que os passos dele são muito mais barulhentos do que os de qualquer outra pessoa da casa. Em particular considerando seu tamanho.

— Você tem que desculpá-lo — diz Heather enquanto termina de esvaziar as sacolas do mercado. — Ele está numa fase desajeitada.

Fase desajeitada. Disseco a expressão, tentando fazer com que combine com o que acabo de testemunhar. Ela está se referindo a seu tamanho pequeno? Ou ao fato de que ele muda de cor com tanta frequência? Estou a ponto de pedir para que ela explique melhor, mas Heather o faz sem precisar de estímulos.

— É difícil ter treze anos. Você ainda não sabe quem é. Quem são seus amigos de verdade. Não consegue confiar em ninguém. Ainda não sabe do que é capaz.

Absorvo a definição, refletindo.

— Então acho que também estou numa fase desajeitada.

Ela sorri. Gosto das rugas que se formam na pele em volta de seus olhos. Elas os abrandam um pouco. Heather fecha uma porta de armário e olha para mim.

— Obrigada.
— Pelo quê?
— Você tem bom coração.

Penso no hospital, lembrando-me do que disse Kiyana sobre meus sinais vitais, e suponho que Heather esteja se referindo a isso. Mas não entendo que relação tem com essa conversa.

— De qualquer modo — diz ela, lavando as mãos na pia —, acho que não é de grande ajuda Cody só ter interesse por matemática e ciências. Faz muito tempo desde que fui adolescente, mas sei que esse tipo de passatempo nunca ajuda socialmente na escola. Além disso, ele é meio baixinho. Mas o pai só teve seu surto de crescimento aos quinze anos.

Escuto tudo o que Heather fala, embora não entenda o significado. Mas tenho a sensação de que ela não precisa que eu entenda.

— Você é uma garota de sorte por ser tão bonita e tão nova. De onde você veio, não deve ter tido problema nenhum para arrumar namorados ou fazer amigos.

Pergunto-me se isto pode ser verdade.

Ela enxuga as mãos em uma toalha.

— Mas, então, se a atitude de Cody é estranha, é porque ele fica nervoso quando está perto de meninas bonitas. Dê algum tempo a ele, para se acostumar com sua presença aqui. Ele é um menino muito meigo.

Concordo com a cabeça e sorrio, sem saber o que dizer.

Heather sugere que eu suba e descanse, prometendo me chamar quando o jantar estiver pronto.

Não discuto. Estou ansiosa para ficar sozinha. Subo os degraus em silêncio e entro no quarto, fechando a porta.

Sento-me na cadeira e fico me balançando. O movimento me acalma. O alcance do movimento é limitado. Restrito. Cabe em uma caixa.

Gosto de coisas que cabem em caixas. Em particular, caixas que têm rótulos.

São os recipientes disformes, não identificados e de conteúdo desconhecido que me incomodam.

Embora eu negue a mim mesma, penso no garoto. Não consigo evitar. Ele me fascina. E me enfurece ao mesmo tempo.

O que isso quer dizer?

Talvez nada.

Talvez tudo.

Ele não era parecido com Cody. Era alto. Mais alto do que eu. Seu rosto era comprido e oval. Os braços não eram mirrados, mas um pouco definidos por músculos. Suponho que isso signifique que ele já atingiu seu "surto de crescimento", como chamou Heather. O que quer dizer que ele tem mais de treze anos. Vejo-me desejando ter um referencial melhor.

Para tudo.

Será possível que ele de fato saiba coisas a meu respeito? De onde eu venho. Do que eu gosto. Quem eu sou.

"*Sera. Este é seu nome. É abreviação de Seraphina.*"

Seraphina.

Vou ao espelho e olho meu reflexo enquanto repito o nome em voz alta, dissecando-o mentalmente.

— Sera. Abreviação de Seraphina.

Seraphina... Sera... S...

Corro à cômoda, abro a gaveta e pego o medalhão, virando para examinar a gravura no verso.

$S + Z = 1609$

A equação que não consigo resolver. Apesar de a matemática ser tão fácil para mim.

Mas talvez o problema seja este. Talvez a equação não tenha relação nenhuma com a matemática.

"Você não é quem pensa ser."

Eu não sou ninguém!, quero gritar. Nem mesmo *sei* quem sou. Como é possível que eu seja alguém que não sou?

Minha cabeça começa a latejar. Volto à cadeira e me balanço freneticamente, esperando que o movimento me acalme mais uma vez. Mas nada acontece. Fecho os olhos e me concentro no garoto. Em seu rosto.

Observo suas maneiras mudarem assim que ele vê Heather se aproximar de nós. Seu rosto fica sério. Determinado.

"Tente se lembrar do que realmente aconteceu..."

Crio um índice mental de tudo o que sei ser a verdade:

Gosto de números.

Tenho uma tatuagem.

Gosto de queijo quente.

E de supermercados.

Tenho cabelo castanho comprido, cor de mel, e olhos púrpura.

Sobrevivi a um desastre de avião.

Um desastre do qual não me lembro.

Um erro no computador me apagou de uma lista.

"Você nunca esteve naquele avião..."

De repente meus olhos se abrem. Levanto-me da cadeira e ando pelo quarto. Detesto todas essas perguntas sem resposta. Detesto a dúvida que ele plantou na minha cabeça. Detesto que ele tenha me obrigado a duvidar de tudo o que sei.

E detesto principalmente que ele me pareça inesquecível.

De algum modo, cada lembrança em meu cérebro conseguiu me abandonar; entretanto, é de seu rosto que aparentemente não consigo me livrar.

Enquanto caminho, repito meu mantra.

Eu não o conheço. Não me lembro dele. Não posso confiar nele.

A última frase me faz parar. Apreensiva, olho o medalhão em minhas mãos. Respiro fundo e abro a portinha do coração escuro, retirando o bilhete amassado e colocando-o na cômoda.

Vasculho o quarto, procurando em toda parte até encontrar o que quero numa mesa de cabeceira ao lado da cama.

Uma caneta e uma folha de papel em branco.

Coloco o papel ao lado do bilhete amarelado, e lenta e cuidadosamente escrevo duas palavras.

Confie nele.

Examino as duas mensagens... Uma amarelada, esfarrapada e desbotada pelo tempo e pela água salgada, e a outra branca, nítida e atual – e vejo o que temia ver.

São idênticas.

As duas foram escritas pela minha mão.

11
PROVADA

❖

Heather e Scott tentaram engatar uma conversa comigo durante o jantar, mas eu não estava realmente presente. Minha cabeça estava em outro lugar.

Mais especificamente, no bilhete.

O bilhete que *eu* escrevi.

Mas *por quê*? Esta é a pergunta que mais me incomoda. Eu pretendia que fosse para mim? Ou para outra pessoa?

Tem que ter sido para outra pessoa.

Caso contrário, isso não implicaria que eu *sabia* que ia perder a memória? Por que outro motivo eu precisaria lembrar a mim mesma para confiar em alguém? Mas sei que isso é impossível. Ninguém pode prever um desastre de avião. Ninguém pode prever a amnésia. Será que consegui escrever o recado de algum jeito enquanto o avião caía? Só por precaução?

E quem é *ele*?

Confie *nele*.

Só consigo pensar em uma pessoa. E ele é a última pessoa em quem quero confiar. Porque significaria acreditar em tudo o que ele me disse.

Que tem gente procurando por mim.

Que corro perigo.

Que nunca estive no avião.

Não. Não posso.

Existem milhões de *eles* no mundo. É forçado e totalmente irracional supor que é a *este* garoto que o bilhete está se referindo.

Mas acho que, se sou de fato a garota que escreveu o bilhete, pelo menos devo a mim mesma — a *ela* — descobrir a verdade.

Depois do jantar, vou ao banheiro e lavo o rosto com o produto que Heather comprou hoje para mim na loja. Enquanto eu estava no hospital, Kiyana me ensinou a me cuidar. Os dentes precisam ser escovados, o rosto precisa ser lavado, as unhas têm que ser mantidas limpas. Acho irritante que precise ser lembrada dessas coisas que parecem tão fundamentais. Tão humanas.

Recomecei de tantas maneiras que começo a perder a conta. E tenho a sensação de que não sou do tipo que perde a conta com facilidade.

Noto uma luz por baixo da porta do quarto de Cody. Ouço vozes. Três no total. Parece uma discussão.

Cody disse aos pais no jantar que os amigos da escola iam aparecer.

Destranco a porta e a abro, revelando Cody e dois meninos da mesma idade reunidos em torno de um tabuleiro gigante com uma superfície branca e reluzente. Está coberto de anotações em vermelho. Cody segura um pincel atômico da mesma cor.

As vozes se calam de imediato e os três meninos se viram para mim.

— Nunca ouviu falar em bater na porta? — pergunta Cody. Posso inferir, pelo tom de voz, que ele está zangado comigo, embora eu não saiba por quê.

— Já ouvi.

Ele solta um som engraçado pelo nariz.
– Então, por que não bateu?
– Não sabia que deveria.
Um dos outros meninos começa a rir, depois tapa a boca com a mão.
– Bem, você deve – responde Cody. Seu tom ainda tem certa tensão. Não gosto de como me sinto com ele.
– Está zangado comigo? – pergunto, dando um passo para Cody, investigando seu rosto.
Ele não me olha nos olhos.
– Não – responde ele, quase inaudível.
– Você parece zangado.
– Não estou. O que você quer?
Observo os outros meninos, perguntando-me se posso confiar a eles o que estou prestes a perguntar. Indagando-me se posso mesmo confiar em Cody. Mas, no momento, ele é minha única opção. Eu procuraria Heather ou Scott, mas algo me diz que eles não atenderiam a meu pedido. E que eles me pediriam explicações que ainda não estou preparada para dar.
– Quero ir a Los Angeles – digo por fim. – Especificamente, ao aeroporto.
Cody ri, mas não parece sincero.
– Então, peça a meus pais para levarem você.
– Não posso ir com eles.
– Ah, boa sorte nessa.
Entendo a frase, mas tenho certeza absoluta de que ele não está me desejando sorte. Seu tom e a linguagem corporal sugerem o contrário. Acho a contradição frustrante.
– Meus pais nunca vão deixar você sair desta casa sozinha – observa ele.
– Sim, concordo. Por isso gostaria que você me levasse.
Os olhos dele ficam arregalados.
– Como é? Agora?

— Não. De manhã. Antes de Heather e Scott acordarem.

— Essa garota perdeu a cabeça — diz ele aos amigos.

— Sim — repito. — E é exatamente por isso que preciso ir. Para ver se consigo encontrá-la.

Todos riem em uníssono, mas eu não entendo. Será que fiz uma piada? Detestaria ter feito uma piada sem perceber. Que desperdício seria.

— Então, você pode me levar? — repito, depois que o riso esmorece.

— Não. — Cody me dá as costas e se vira para o quadro branco. Continua a escrever com o pincel atômico vermelho.

— Por que não?

— Porque estou ocupado — vocifera ele.

Olho o quadro branco e analiso a série de anotações. Num exame mais atento, noto que o quadro está coberto de números, letras e símbolos matemáticos.

— Está ocupado com isto? — procuro confirmação.

Ele não olha para mim.

— Sim. Se conseguirmos resolver este problema, vamos começar o primeiro ano tipo com zilhões de créditos extras. Sem dizer que a gente vai entrar para o hall da fama de matemática. E como as aulas começam em menos de duas semanas, não tenho lá muito tempo para viagens clandestinas a Los Angeles.

— Então, se você resolver isto, terá tempo — concluo.

Ele dá uma risadinha.

— É, tá. Se eu resolver, terei tempo para levar você.

— Bom, e se eu ajudar a resolver? — sugiro, esperançosa.

Isso o faz rir de novo. Os outros dois se juntam a ele.

—Tá, porque alguém como *você* pode resolver a conjectura de Goldbach, uma conjectura que não é provada nem refutada há mais de 250 anos. Nem matemáticos premiados do mundo todo conseguiram resolvê-la, mas *você*, a supermodelo com amnésia, você pode.

– E se eu resolver, você vai me levar para Los Angeles?

Ele enfim se vira e me encara, recolocando a tampa na caneta vermelha com um estalo alto.

– Sim. – Agora ele está sorrindo. Não é aquele sorriso que vi em Heather hoje mais cedo. Seus olhos não fazem rugas. – Se você conseguir provar ou refutar que todo número par inteiro maior do que dois pode ser expresso como a soma de dois números primos, eu a acompanharei a Los Angeles.

Concentro-me no quadro branco, expandindo meu campo de visão até conseguir vê-lo por inteiro. Depois me aproximo e examino cada parte individualmente, notando onde os meninos começaram com a fórmula original e onde tomaram o rumo errado. Pego o apagador na prateleira abaixo e elimino a segunda metade de seus escritos, despertando uma série de arfadas atrás de mim.

– Você n-n-não pode... – gagueja um deles. – Ela simplesmente apagou duas horas de trabalho!

Ignoro os protestos, pego o pincel atômico vermelho da mão de Cody e continuo de onde a prova parou. Minha mão é rápida. Quase rápida demais para que eu acompanhe. Não me lembro de nada do que faço, entretanto os números e símbolos que aparecem no quadro branco diante de mim são conhecidos. Conhecidos de um jeito que não sei explicar. Não vêm da memória. Vêm de outro lugar. Sei como formá-los, assim como sei andar. Como sei falar. Como sei contar objetos em um carrinho de compras.

Termino em menos de um minuto. Recuo e examino meu trabalho. Todo o espaço em branco agora está preenchido. Circulo o resultado final.

– Provada – digo.

Cody não responde. Sua boca pende em um ângulo estranho. Os outros meninos têm a mesma expressão. Eu a interpreto como surpresa. Também estou surpresa. Não pelo fato de poder fazer isso. Mas porque Cody inferiu que era quase impossível. Sem dúvida, não *pareceu* impossível.

Mas tenho outras coisas em que pensar. Prioridades maiores em minha lista de impossibilidades.

Devolvo a caneta a Cody, que ainda está em silêncio, encarando fixamente o quadro branco, os olhos percorrendo rapidamente minhas linhas e garranchos, os lábios se mexendo enquanto ele lê em silêncio o que escrevi. Se está procurando erros, não vai encontrar nenhum.

Disto, tenho certeza.

Na verdade, é bom ter certeza de alguma coisa pelo menos uma vez.

Volto ao banheiro.

— Acho que devemos sair amanhã cedo — digo a ele. — Às cinco da manhã.

Cody concorda balançando a cabeça muito ligeiramente enquanto fecho a porta depois de passar.

12
IDIOMÁTICA

❖

Ainda está escuro lá fora quando saímos da casa. Tomei a liberdade de pegar emprestado de novo o boné de Scott para esconder meu rosto e vesti as mesmas roupas que usei ontem. Heather pretendia que saíssemos para fazer compras hoje. Acho que isto terá que esperar até eu voltar.

— Eu me sinto estranha — digo a Cody enquanto andamos pela rua que leva ao centro da cidade, olhando a casa adormecida atrás de nós.

— Isto se chama culpa — diz ele. — E só quero que você saiba que se eu me encrencar por isso... e muito certamente isso vai acontecer... direi a eles que você me raptou.

— Raptar — repito —, *abduzir pela força*.

Ele solta aquele ruído estranho pelo nariz de novo. Acho que se chama bufar.

— Então ela também é um dicionário ambulante.

— Eu não obriguei você.

— Não, tem razão — concorda ele. — Você me explorou.

— Explorar — digo. — Ser agressivo, especialmente em questões comerciais.

— Também significa arrancar dinheiro de alguém. Numa fraude.

Franzo a testa.

— Mas não tirei dinheiro nenhum de você.

— Deixa pra lá — responde ele rapidamente, puxando a mochila mais para cima do ombro. — Por que não começa me contando como você provou a conjectura de Goldbach?

Dou de ombros.

— Não sei.

— Olha, não acredito em você. Acho que você a encontrou na web ou coisa assim.

— Web — repito com curiosidade. — Tipo uma teia?

Cody me olha de maneira esquisita.

— Não, a World Wide Web. Sabe, a internet. Fala sério que não se lembra disso?

— Não me lembro de nada.

— Mas sabe andar, falar e provar conjecturas insolúveis.

Respiro fundo.

— Acho que sim.

A rua está silenciosa. E muito escura. Não tem postes de luz como aqueles que notei ontem, quando chegamos à cidade. Mas consigo enxergar com perfeição o rosto de Cody. Sua testa está vincada e os lábios, torcidos de lado.

— Então, como você pode não saber o que é a internet?

É exatamente isto que me deixa frustrada.

— Não sei. Não consigo explicar. Conheço algumas palavras, mas não outras. Não parece haver um padrão. Ou, se ele existir, ainda não descobri qual é.

Cody me olha pelo canto do olho.

— Isso é um saco. — Depois, ao perceber meu assombro, acrescenta apressadamente: — Quer dizer que deve ser difícil. — Ele gesticula para o meu punho esquerdo. — E imagino que você não se lembre por que escolheu uma tatuagem tão esquisita.

Cubro a marca preta e fina com a outra mão, constrangida.

— Não.

Cody afasta minha mão e se curva para olhar mais de perto. Depois seus olhos se iluminam.

— Caraca, será que é um símbolo de gangue ou coisa assim?
— Hein?

Ele balança a cabeça.

— Nada não.
— Então, o que é? — pergunto.
— O quê?
— A internet.
— Ah. Tá bom. É... — Ele se interrompe, formando um círculo com a mão. — Bem, é onde você encontra tudo.

A definição me deixa intrigada.

— Podemos ir até lá?

Ele ri. Parece mais gentil do que o riso que ouvi ontem à noite no quarto dele.

— Não, você não vai lá. Está num computador. Ou num celular. Ou dispositivo móvel. — Ele coloca a mão no bolso e tira o que agora reconheço ser um celular. O aparelho se acende ao apertar um botão e ele começa a teclar ali.

— Olha — diz ele, entregando a mim. — Este é o horário do ônibus. Foi postado na internet. — Cody aponta uma linha de texto e meu olhar acompanha seu dedo. — Este é o ônibus que vamos pegar para Los Angeles. Ele parte daqui a vinte minutos e chega ao nosso destino às 9:42 da manhã.

Cody me mostra como posso rolar pelo resto da página e absorvo as informações com avidez.

— O que mais a internet pode dizer? — pergunto quando chego ao final.

Ele dá de ombros.

— Qualquer coisa.

Minha mente está em chamas. É inconcebível a ideia de que todos esses dados — essas informações — estão acessíveis por meio de um simples dispositivo. Quero procurar mais, mas o garoto pega o telefone de volta e coloca no bolso.

– É mais rápido se você tiver wi-fi.

Chegamos à rodoviária cinco minutos depois, e Cody me leva ao guichê de passagens. Ele fala com o homem sentado atrás de um vidro transparente.

– Duas passagens de ida e volta para Los Angeles, por favor.

O homem bate três vezes em uma tela diante dele.

– Vai ficar em $138,00.

Cody se vira para mim.

– Imagino que você se esqueceu dos dados da sua conta bancária também, né?

– Eu... – Atrapalho-me, sem jeito.

– Eu sabia. – Ele tira do bolso uma pilha de cédulas verdes. – Isto dá quase duas semanas de mesada. Você me deve muito.

Instalado no balcão está o mesmo dispositivo de leitura de cartão que vi no supermercado ontem. Aponto para ele.

– Por que você não usa isto? – pergunto, tentando ser útil.

Só que, mais uma vez, falei o que não devia. Cody geme enquanto entrega duas cédulas ao homem.

– Porque meus pais não querem que eu tenha cartão de crédito. Por mais que eu peça. Mas obrigado por me lembrar disso.

– Cartão de crédito – repito, dissecando as palavras. – *Crédito: comenda ou honraria dada por algum ato. Cartão: um pedaço retangular de papel rígido.*

O homem atrás do vidro me olha com estranheza e entrega nossas passagens a Cody. O menino abre um sorriso apressado para ele.

— Ela é de... — ele me agarra pelo braço e me afasta do guichê enquanto murmura — outro lugar. Você parece uma criança pequena — ele me diz incisivamente. — Não sabe de *nada* mesmo.

O comentário dói no fundo da minha garganta. Tenho que engolir antes de falar.

— Acho que um dia eu soube.

Cody balança a cabeça.

— Um cartão de crédito é um cartão de plástico que você usa em vez de dinheiro. Ele registra o que você compra e depois, no fim do mês, você paga o total. Juro que parece que estou num filme vagabundo de ficção científica. Tem certeza de que você não veio do espaço?

— Acho que não.

Ele ri.

— Bom, isso explicaria muita coisa. Não é?

— Como assim?

Cody passa o dedo em uma das sobrancelhas amarelas e grossas.

— Deixa pra lá. Olha, vou ao banheiro. Espere aqui até eu voltar e não vá a lugar nenhum, está bem?

Concordo com a cabeça.

— Está bem.

Ele aponta uma cadeira de plástico laranja atrás de mim.

— Sente-se aqui.

Eu me sento.

— Não se mexa.

Vejo-o desaparecer atrás de uma porta com a placa HOMENS e examino o ambiente, contando o número de pessoas (onze) e o número de cadeiras como a que ocupo (quarenta e oito).

Uma jovem de cabelo castanho e vestido azul se aproxima e pergunta se eu sei quando chega o ônibus para San Francisco.

– Às 5:45 – digo.
Ela fica agradavelmente surpresa com a resposta.
– Vai para lá também?
– Não. Vou para Los Angeles. Mas li o horário do ônibus.
– Você mora lá? – pergunta ela.
– Talvez – digo, e depois de ver sua expressão confusa e sem querer atrair uma atenção desnecessária para mim, acrescento rapidamente: – Minha família morava lá.

Esta foi a segunda vez que menti. A primeira foi quando disse a Heather que o garoto no estacionamento do supermercado só me reconheceu do noticiário. Estou começando a entender o propósito da mentira. É um mecanismo de proteção.

– Que legal – diz a mulher. – Você é de Portugal ou do Brasil?

Fico confusa com a pergunta, sem saber por que ela suporia que estas são as únicas duas opções. Eu pareço ser de Portugal? Ou do Brasil? E se for assim, por que ninguém mais me fez essa observação?

– Não estou entendendo – começo. Quero lhe perguntar por que ela fez esse pressuposto aparentemente arbitrário, na esperança de que revele alguma pista de minha identidade, mas não tenho essa chance. Sinto um puxão urgente no braço. Cody me tira da cadeira e me leva para o outro lado da estação.

– Tá legal – diz ele com a voz séria. – Antes de mais nada, não fale com qualquer um nas rodoviárias. Não é seguro. Ainda mais com o seu... bom, status de celebridade.

– Ela me perguntou sobre o ônibus para San Francisco.

– E *em segundo lugar* – continua ele, ignorando minha justificativa –, e provavelmente mais importante, hmmm, você fala português?

– Não sei.

– Como pode não saber? Ouvi você falando agora mesmo.
– Me ouviu falando o quê?
– Português – repete, aparentando exasperação. – Com aquela mulher.

Olho por sobre o ombro dele e vejo a jovem de vestido azul. Ela está sentada no lugar que deixei vago. Penso em nossa conversa, de repente ouvindo-a de um jeito diferente na memória.

"*Você sabe quando chega o ônibus para San Francisco?*"
"*Às 5:45.*"

Em português.

– Eu falo português? – repito a pergunta de Cody.
– Foi o que pareceu.

Reflito sobre o que isso significa. Onde eu possa ter aprendido. Talvez eu tenha morado lá no passado. Ou talvez eu realmente *seja* de Portugal ou do Brasil, como a mulher especulou. Por isso ninguém procurou por mim? Porque moram em outro país?

– Quando eu era pequeno, tive uma babá de Portugal – diz Cody. – Ela via novelas portuguesas o tempo todo.

– Acha que talvez eu seja de lá? – pergunto.

Cody dá de ombros.

– Acho que é possível. Mas você não fala inglês com sotaque, então, não sei.

Também não sei. Coloco esse incidente em meu arquivo mental, acrescentando à lenta lista de pistas que recolhi. O único problema é que até agora as pistas não se encaixam de um modo coerente.

O que o português tem a ver com o medalhão? Ou com esta tatuagem no meu pulso? Ou com o garoto que alega me conhecer?

– Estou aprendendo todo tipo de coisas interessantes sobre você – diz Cody, voltando àquela distorção peculiar no tom.

— Eu também.

Uma voz alta sai de um alto-falante acima de nós, anunciando a chegada do ônibus 312 para Los Angeles.

— Bom, é o nosso — diz Cody. — Vamos lá encontrar essa sua cabeça perdida?

Vejo pela janela o grande veículo prateado e azul encostando ruidosamente junto ao meio-fio. Tem a ilustração de um cachorro na lateral. Ele está correndo. Para onde? Não sei.

E me pergunto se ele sabe.

Há uma placa na frente do ônibus que diz LOS ANGELES.

É um começo. Acho que a essa altura não posso pedir mais.

— Sim — respondo a Cody, respirando fundo. — Vamos.

13
RESSENTIMENTOS

❖

O ônibus não roda tão suave quanto o carro que pegamos na saída do hospital. Ele sacoleja e tem um cheiro estranho. E não existem botões para abrir as janelas. Assim que nos sentamos, Cody pega seu telefone no bolso e fico animada porque acho que ele vai me mostrar mais sobre a internet. Em vez disso, ele coloca o telefone perto do rosto e fica incrivelmente absorto passando a ponta do dedo rapidamente pela tela, provocando o movimento de figuras de pequenos animais.

Viro-me para a frente e deixo que meus olhos se fechem.

Mas, no segundo em que se fecham, ele está ali. O garoto. A boca curva naquele sorriso tranquilo. Os olhos me fitam com um desejo inegável.

"Então você se lembra... Pelo menos uma parte de você se lembra."

Meus olhos se abrem. Vejo o banco à minha frente. Tecido azul. Uma mesa dobrável. Um saco feito de cordão. Procuro me distrair contando os fios do tecido, mas não dá certo.

Minha mente ainda vaga. Até ele. A voz suave e tranquilizadora falando coisas tão irregulares e inquietantes.

Queria que provar ou refutar as alegações dele fosse tão fácil quanto resolver a conjectura de Goldbach. Algumas linhas de fórmulas em um quadro branco. Alguns cálculos e está feito. Circulado. Refutado. Vida que segue.

Mas não é assim.

Então, aqui estou eu. Neste ônibus. Viajando 280 quilômetros para tentar refutar algo que sou incapaz de desmentir sozinha.

Talvez isso passe — esta sensação que tenho sempre que vejo seu rosto mentalmente. Começa no fundo do estômago e se espalha com rapidez. Fica mais forte a cada segundo. E se eu me concentro em seus olhos, a sensação se torna insuportável. Parece uma doença. Um comichão pouco abaixo da pele. Uma contração de músculos.

E o pior é que não sei do que se trata. Não posso rotular. Será que é assim simplesmente porque sou mulher e ele é homem? Alguma reação hormonal e biológica ao sexo oposto sobre a qual não tenho controle?

Mas, se fosse assim, eu deveria sentir o mesmo quando estou perto de Cody. Que também é um menino. Só que quando me viro e o vejo, o rosto parcialmente iluminado pela tela do celular, a sensação desaparece. Olho por mais tempo, mais atentamente, esperando que ela volte, mas não volta.

Ele me espia com uma expressão de desagrado.

— Posso ajudar?

Balanço a cabeça.

— Acho que não.

— Qual é o problema? Enfeitiçada pela minha beleza irresistível?

Mais uma vez fico perplexa com o tom mordaz.

— O que é isso?

Ele baixa os olhos para a tela.

— Um jogo.

— Não, na sua voz. Por que você fala desse jeito?

— De que jeito?

— Você diz coisas em que não acredita.

Ele ri.

– O nome é sarcasmo. Também não tem isso em seu pequeno dicionário mental?
– Tenho – admito.
– Então, você entendeu. – Ele volta a atenção ao telefone.
– Você não gosta de mim.
Ele sorri, mas de imediato sei que não é autêntico. Estou começando a perceber que existe uma diferença. E é uma diferença importante.
– Isso não é verdade. Eu super gosto de você.
Lá está o tom de novo.
– Por que você é amargurado? – pergunto.
– Amargurado?
– Sarcasmo: amargura. Usado para transmitir desprezo ou insulto. Por que você é amargurado?
Ele suspira e repousa o celular no colo.
– Não sou amargurado.
– Então, por que está transmitindo desprezo ou insulto?
Ele se remexe na poltrona.
– Tá legal, não sou amargurado com *você*, especificamente. É mais com... sei lá... meninas *como* você.
Tenho dificuldades com isso.
– Meninas como eu?
Seu rosto mais uma vez assume aquele tom peculiar de vermelho.
– Sabe como é – ele olha pela janela –, meninas *parecidas* com você.
– E eu me pareço com o quê?
Ele geme e me dá uma espiada.
– Jura que vai me obrigar a dizer isso?
Não respondo.
– Bonitas! – diz ele por fim, o vermelho escurecendo. Cody olha pela janela de novo. – Tá legal? Você é muito bonita. Devia ser modelo. Se já não é. Satisfeita agora?

Processo a informação.

— E você não gosta disso.

Vejo seu reflexo no vidro. Ele balança a cabeça e fecha os olhos.

— Não. Eu gosto. É só que as meninas bonitas normalmente não falam com caras como eu. Ou elas falam, mas... bem, digamos que elas não são muito legais.

— Então, você é amargurado — confirmo. — Com meninas bonitas.

— É. — Ele chuta o banco da frente. — Mas vou admitir que você não é parecida com as outras.

Essa declaração me deixa feliz e triste ao mesmo tempo.

— E por que não?

— Bem, primeiro, nenhuma das meninas bonitas que conheço consegue provar a conjectura de Goldbach. E... sabe como é... você *conversa de verdade* comigo.

— Então, talvez você não devesse ser amargurado com *todas* as meninas bonitas.

Ele ri.

— Você está começando a parecer a minha mãe.

— E isso é bom?

— É... — ele se esforça — ... complicado.

Começo a me perguntar se existe alguma coisa que não seja assim.

— E você? — pergunta, enfim me olhando de novo. O escarlate de sua pele se foi.

— O que tem eu?

Ele pega uma garrafa de água na mochila e abre a tampa.

— Acha que tinha um namorado na sua terra? Sabe como é, antes de sua memória sumir. — Ele toma um gole.

Reflito sobre a pergunta, tentando traduzir o termo *namorado*.

— Quer dizer um amante? — pergunto.

A água espirra de sua boca, e algumas gotas caem em mim. Uma mulher que passa pelo corredor nos olha com desdém.

— Claro — responde ele, quando finalmente para de rir. — Um amante. Você tinha um desses?

Penso no medalhão guardado na primeira gaveta da cômoda. *"Fui eu que o dei a você."*

Balanço a cabeça.

— Não me lembro.

— Certeza de que você tinha *vários*. — Ele afirma com um gesto de cabeça e outro gole da água. Desta vez a água fica na boca.

— Duvido. — Fecho os olhos e descanso a cabeça no encosto.

— Bem, nesse caso, acho que você está melhor assim.

Meus olhos voltam a se abrir de surpresa.

— Por quê?

Ele dá de ombros.

— Não tenho nenhuma experiência no assunto, mas, pelo que soube, o amor é um porre total.

— Um o quê?

— Um pé no saco. — Ele reformula, depois, ao ver minha expressão ainda confusa, e tenta pela terceira vez. — Uma pedra no sapato. Sabe, tipo sobe e desce, vai e volta. "Eu o amo, não, eu o odeio, não, eu o amo de novo, mas acho que na verdade ele gosta da Claire. Será que você pode, *por favor, por favor*, perguntar a ele para mim?" Sei lá, parece uma completa perda de tempo.

— É — concordo com sinceridade, tentando ignorar o formigamento quente que começou a arder no meio da minha testa. — Sem dúvida não é para mim.

14
CONFIRMAÇÃO

❖

Da rodoviária no centro de Los Angeles, pegamos um ônibus urbano para o aeroporto. Cody usou o celular para se orientar por todo o trajeto, aumentando ainda mais meu desejo de adquirir um aparelho só meu.

Quando chegamos, ele pergunta:

— E agora? Tem algum plano ou coisa parecida?

Na verdade, não tenho. Olho em volta, na esperança de que algo me pareça remotamente familiar. Não acontece. Não sei por que continuo pensando que um dia *alguma coisa* vai estimular uma reação — uma lembrança —, quando até agora nada estimulou.

— Acho que só queria falar com alguém que talvez tivesse me visto no avião.

A testa de Cody se franze.

— Como assim?

— Bom, eu supostamente estava no voo 121 da Freedom Airlines para Tóquio. E quero me certificar disso.

— Epa, epa — diz ele, jogando as mãos para cima. — Está me dizendo que você me arrastou até aqui para confirmar uma coisa que a imprensa já fez umas mil vezes?

A calçada está lotada. Entra e sai gente, arrastando bolsas grandes. Puxo a aba do boné mais para baixo do rosto.

— Como vou saber se estão dizendo a verdade? — pergunto a Cody.

— O que a faz pensar que não estejam?

Penso em contar a ele sobre a repórter na multidão e o garoto no supermercado. Sobre as coisas que o garoto disse. *"Você nunca esteve naquele avião e sabe disso."* Mas decido que ainda não é algo que eu queira repetir. Pelo menos até que tenha mais provas.

— É só uma sensação — digo. — Ainda existem coisas que não batem. Por que meu nome não estava na lista oficial de passageiros?

Isso não parece preocupar Cody.

— Meu pai disse que foi um erro de computador.

— E se não foi? — contesto. — E se eles mentiram?

Cody reflete sobre isso por um momento.

— Por que eles mentiriam sobre *isso*? Se era para mentir, eles diriam que seu nome *estava* na lista oficial. Para proteger o rabo corporativo deles.

Não consigo decifrar essa frase, mas deixo passar.

— Eu só preciso ter certeza.

Ele puxa a mochila mais para cima do ombro e solta um suspiro forte.

— Ótimo. Vamos ver se encontramos com quem falar.

Passamos por portas automáticas e entramos na fila do balcão de passagens internacionais da Freedom Airlines. Reconheço o logotipo na parede. É o mesmo que estava em um dos destroços do avião que mostraram nos noticiários. De certo modo espero estremecer ao vê-lo de perto, mas isso não acontece.

Quando chegamos à frente da fila, uma mulher acena de trás do balcão para avançarmos. Sigo Cody, que se aproxima dela, mantendo meus olhos voltados para baixo.

— Bom dia — diz ele, depois de dar um pigarro. Fico admirada de como a voz de Cody está diferente. Como se tentasse deixá-la mais grave de propósito.

Estou feliz por ter pedido a ajuda de Cody. Ele se mostrou de grande utilidade hoje. Mesmo que alegue que eu o explorei para ele vir.

— Bom dia — a mulher faz eco com um sorriso acolhedor.
— Vai fazer o check-in?

Sem olhar para cima, dou um cutucão em Cody e ele responde:

— Não. Na verdade, queríamos falar com alguém sobre o voo 121. Aquele do desastre, sabe?

O sorriso dela desaparece de imediato.

— Lamento. Não estamos autorizados a falar sobre isso.

Cody vira-se para mim e dá de ombros.

— Você ouviu a moça. Eles não podem falar sobre isso. Vamos embora.

Cody começa a andar, mas seguro sua camisa entre os dedos e o faço voltar. Ele geme e tenta de novo.

— Só queríamos falar com alguém que talvez estivesse lá quando os passageiros embarcaram ou talvez alguém que trabalhasse no balcão naquele dia.

A expressão da mulher fica ainda mais dura.

— Já lhe disse. Não estou autorizada a falar com ninguém sobre esse voo. Se não vai fazer o check-in nem comprar uma passagem, terei que pedir que se retire.

Cody suspira e estende a mão para levantar a aba do meu boné, expondo meu rosto.

Ele não precisa dizer nada. O arquejar alto me diz que a mulher claramente me reconhece.

— É... você. — A voz dela é baixa. Vacilante.

Concordo com a cabeça.

— O que está fazendo aqui? — pergunta, angustiada.

– Eu realmente preciso falar com alguém sobre aquele voo. Ela balança a cabeça, inflexível.

– Não. Você precisa ir embora. Agora.

–Você estava lá? – pressiono, ignorando seu aviso. – Por acaso me viu entrar no avião? Pode confirmar se eu estava no voo?

– Eu já disse. Não posso falar sobre isso. Você nem deveria estar aqui.

– Por favor. – Minha voz começa a tremer. – Só estou tentando responder a uma dos milhões de perguntas que estão se amontoando na minha cabeça. Eu... estou perdida. E frustrada. E não sei em que acreditar. Preciso falar com alguém.

A mulher pega um telefone e aperta botões.

– Estou chamando a segurança.

– E *essa* é nossa deixa para ir embora – diz Cody, fechando os dedos em meu cotovelo e me puxando para longe do balcão.

– Não! – protesto, soltando o braço. Volto-me para a mulher no balcão. – Será que alguém pode falar comigo? Por favor?

Ela me ignora, falando bruscamente ao telefone.

–Temos um problema no posto 12. Solicito assistência imediata.

Cody me olha com gravidade.

– Ou vamos embora, ou seremos expulsos. E, acredite em mim, a segunda opção vai criar uma cena muito maior do que a primeira. Então, se não quiser seu rosto por todos os jornais de novo, sugiro que a gente dê o fora daqui.

Não quero lidar com outro circo da mídia, então me rendo com um suspiro, baixo o boné e sigo Cody porta afora até estarmos de volta à calçada movimentada.

Desabo em um banco de metal e seguro a cabeça entre as mãos.

Cody se abaixa lentamente ao meu lado. Ele me dá três tapinhas desajeitados nas costas antes de cruzar as mãos no colo.

— Eu sinto muito — diz ele.

Levanto a cabeça.

— O que vamos fazer agora?

— Acho que não temos alternativa. Provavelmente temos que ir para casa.

— Mas eu preciso saber.

— Violet — diz ele com gentileza —, eu não acho que exista alguma coisa *para* saber. Tem certeza de que você não está só em negação ou coisa assim?

Quem me dera. Quem me dera poder negar tudo o que o garoto me disse. Cada dúvida em minha mente. Mas não consigo.

— Com licença? — Ouço uma voz delicada. Cody e eu levantamos a cabeça e deparamos com uma loura baixinha parada ao nosso lado. Ela usa o mesmo uniforme azul-marinho da mulher do balcão de passagens da Freedom Airlines.

Ao ver meu rosto encoberto, ela puxa uma golfada de ar.

— Nossa, é você mesmo.

— A gente pode ajudar em alguma coisa? — pergunta Cody, na defensiva.

Ela olha disfarçadamente por cima dos ombros.

— Eu ouvi vocês, sem querer. No balcão de passagens.

— Tá, e daí? — Cody exige saber.

Ela parece não se importar com a petulância da voz dele.

— Meu nome é Brittany — diz a mulher, demonstrando ansiedade. Ela toca o couro cabeludo. Depois a orelha. Em seguida, a boca. Rói uma unha. Por fim, depois de outra espiada por sobre o ombro, sussurra:

— Eu era a agente no portão de embarque para o voo 121. Passei pelo scanner todos os cartões de embarque dos passageiros que entraram no avião.

Meus olhos se arregalam e me levanto num átimo.

– Então você me viu entrar? Pode confirmar se eu estava no avião quando ele caiu?

Cody se levanta e olha pesaroso para Brittany.

– Ela é meio paranoica – explica. – Imagino que seja típico de amnésicos. Sua memória se apagou completamente e por alguma razão ela me veio com essa ideia maluca de que talvez, de algum jeito e por algum motivo absurdo, ela não estivesse no avião. É claro que tentei convencê-la de que isso é ridículo. Mas acho que ela precisa ouvir de outra pessoa. Assim, se puder tranquilizá-la e dizer a ela que...

– O problema é esse – diz Brittany, fechando os olhos por um momento. – Eu não posso.

– Sei, sei – continua Cody, agitando a mão. – Você recebeu ordens estritas do seu supervisor para se calar e não falar do...

– O que quero dizer – ela volta a interromper, com a voz pouco audível – é que não posso confirmar que você estava no avião.

– Como é? – Cody explode.

– Shhhh, *por favor*! – exclama a mulher, olhando nervosa um grupo de viajantes que passa apressado. – Eu... posso me meter em problemas sérios por falar com você. Não contei isso a ninguém porque não faz sentido nenhum. Sei disso. Então, estive tentando esquecer o assunto. Mas aí vi você no balcão de passagens. Ouvi o que perguntou...

Um nó se forma em meu estômago.

– Eu não me lembro de você – diz ela gravemente. – Eu *tentei* me lembrar. Juro. Penso nisso todas as noites. Repasso aquele dia por completo, mentalmente. Sem parar. Mas você não está lá. – Ela hesita e puxa o ar, estremecida. – Desculpe, mas eu... não me lembro de vê-la embarcar no avião.

– Bem, tá – argumenta Cody, claramente sem se deixar convencer. – Mas devia ter umas duzentas pessoas naquele voo.

Para não falar de todos os outros embarques que você processa todos os dias. Não é possível que você se lembre de todo mundo.

Brittany desloca o peso para o outro pé. Leva as mãos ao cabelo de novo, e agora percebo que elas tremem.

— Sim, mas quando mostraram sua foto no noticiário, você era tão... bonita... Quer dizer, simplesmente *de tirar o fôlego*. E seus olhos... eu... eu... — A voz dela falha enquanto o olhar adeja para os meus olhos. Quanto mais tempo ela espera em silêncio, mais tenho medo de que não conclua a frase. Mas, enfim, ela morde o lábio e se curva para mim. Os olhos lacrimejam e estão cheios de medo quando ela fala baixinho: — Eu simplesmente *sei*... Eu teria me lembrado de um rosto assim.

PARTE 2

A VOLTA

15
RACIONALIZAÇÕES

❖

Cody não parou de falar desde que saímos do aeroporto. Acho que a agente de embarque o perturbou. Ou melhor, o que ela disse o perturbou. A fala dele mudou. Está mais acelerada. A voz está mais aguda. Ele gesticula muito mais do que o normal. Os olhos estão dilatados.

— Deve haver uns quinhentos motivos para aquela mulher não se lembrar de você — diz ele no ônibus urbano enquanto voltamos à rodoviária. — E devo acrescentar que todos são mil vezes mais verossímeis do que a ideia completamente implausível de que você não estava no avião.

Sinto-me tão ansiosa e confusa quanto Cody, mas procuro guardar minha reação. Junto com meus pensamentos. Assim posso tentar organizá-los e entendê-los.

— Por exemplo — continua Cody de modo passional —, ela pode ter se afastado por um momento enquanto embarcavam no avião. E outra agente de embarque assumiu. E foi *aí* que você subiu a bordo. Você podia estar usando outro boné. — Ele dá um peteleco no que tenho na cabeça. — Como este. Você podia estar de cabeça baixa quando embarcou. Quer dizer, fala sério, quem encara o agente de embarque nos olhos quando pega um avião? Eu é que não. E ela passou por *poucas e boas* na semana passada. Ela embarcou passageiros em um avião que *caiu* no Pacífico. E todo mundo morreu! – Ele me olha brevemente. – Desculpe. Quer dizer, *quase* todo mundo. Mas isso deve afetar um pouco a memória de uma pessoa. Quer dizer, ela não é lá a testemunha mais confiável do mundo.

Cody tem razão. Só porque a agente de embarque não me viu entrar no avião, não significa que eu não estive nele.

Não significa que o garoto do estacionamento tenha razão. Embora certamente explique muita coisa.

Por que eu sobrevivi, quando todos morreram.

Por que eu não estava na lista de passageiros.

Se é verdade que nunca estive no avião, então isso significaria que não houve erro nenhum. Só aquele que ainda mantém minha memória cativa.

– Tenho outra explicação plausível – diz Cody, sem perceber meu silêncio. – Na verdade, você é uma terrorista. Você entrou de fininho no compartimento de bagagem e pretendia explodir o avião. Ela não viu você *embarcar* no avião porque você não embarcou. Você era clandestina. E a companhia aérea está colocando a culpa num erro do computador para abafar o caso.

O compartimento de bagagem?

Era lá que eu estava? Entrei furtivamente no avião? Sou uma terrorista?

Minha mente luta para processar a enxurrada de novas perguntas que se acumulam por sobre todas aquelas ainda sem resposta já amontoadas em meu cérebro.

Será que o garoto do supermercado *sabia* que a agente de embarque não se lembraria de mim? Ele trabalhava para a companhia aérea? É quem ele alega estar procurando por mim?

– Fala sério, o que ela está querendo dizer? – pergunta Cody. – Que você simplesmente por acaso estava boiando no meio do oceano *exatamente* no lugar onde um avião caiu? Ou que o avião caiu bem em cima de um barco... ou jangada... em que você *por acaso* estava viajando?

Sei, pelo caráter desdenhoso da voz dele, que Cody está fazendo aquele negócio do sarcasmo de novo.

— Ah! Ah! Já entendi! — diz ele, batendo palmas. Alguns passageiros do ônibus olham. Dou uma espiada nervosa para trás e noto um homem alto, magro e de meia-idade, de cabelo muito ruivo e a cabeça virada de lado. Isso me deixa nervosa. Puxo mais o boné sobre a testa, baixo a cabeça e olho em volta.

— O avião despencou *e* naquele exato momento você, como que por mágica, simplesmente *caiu* do céu! — declama Cody. — Você é um anjo caído, é isso. Por que não pensei nisso antes? — Ele dá um tapa na testa. — Sem dúvida explicaria o seu rosto.

Não sei se ele ainda está falando comigo. Ele não me olha. A essa altura, mais parece falar sozinho. Embora a tagarelice de Cody seja confusa, ele tocou numa questão muito importante.

Se eu não estava no avião, por que fui encontrada perto do local do acidente?

A probabilidade de eu por acaso estar no mesmo lugar e na mesma hora é irrisória até para ser calculada. O que significa que há outra explicação.

Uma explicação que estou decidida a descobrir.

— Opa — ouço Cody dizer. Sua voz mudou. Parece ter voltado ao normal. Dou uma olhada e o vejo de testa franzida para o celular.

— Qual é o problema? — pergunto. Estas são as primeiras palavras que pronuncio desde que saímos do aeroporto.

— Inquisição parental. Estão me ligando. — Ele mostra o telefone e leio a tela.

Chamada de Casa.

— E parece que já ligaram seis vezes. — Ele estremece. — É óbvio que eles perceberam que saímos. Será que devo atender?

— Sim.

Seu rosto se contorce.

— Ficou maluca? Foi uma pergunta retórica. Não vou atender.

– Eles vão ficar preocupados.

– É. E *irritados*. – Ele solta um silvo entre os dentes. – Já que vou levar uma bronca daquelas, prefiro que só aconteça uma vez.

– O que quer dizer?

Cody suspira.

– Se eu atender, eles vão gritar comigo por tirar você da cidade. Depois, quando chegarmos em casa, vão gritar comigo *de novo*. Então, se eu não atender e só levar você para casa, vou ouvir apenas *uma* gritaria. Entendeu?

O telefone parou de tocar.

Aquela sensação estranha me soca o estômago de novo. Aquela que mais cedo Cody identificou como culpa.

– Você não acha melhor dizer a eles que estamos bem? – sugiro. – Assim eles não vão se preocupar.

Ele se acomoda na poltrona e olha pela janela.

– Não. Estamos quase na rodoviária. Vamos chegar em casa daqui a algumas horas. De repente eles esfriam até lá.

16
PROMESSAS

❖

— VOCÊ ENLOUQUECEU? — A voz de Heather vem da varanda enquanto Cody e eu andamos pela entrada de carro até a casa, quatro horas depois. — VOCÊ DESAPARECE SEM DEIXAR NENHUM BILHETE. E NÃO TELEFONA. E LEVA UMA GAROTA INDEFESA E COM AMNÉSIA? NÃO VÊ O QUE TEM DE ERRADO NISSO, CODY?

Ele me lança um olhar de soslaio enquanto Heather desce a escada correndo e anda a passos pesados até nós dois.

— Seu pai estava quase chamando a polícia! Tem alguma ideia do que aconteceria se as autoridades descobrissem que *perdemos* uma criança adotiva em seu *terceiro* dia na nossa casa?

Ela agarra Cody pelo cotovelo e ele geme como se sentisse dor. Sei que preciso dizer alguma coisa. Tenho uma responsabilidade para com Cody. Para desviar a raiva de Heather.

— Heather, a culpa não é dele — digo rapidamente. — É minha. Eu o obriguei a me levar. Ele não queria, mas eu o obriguei.

Noto que a mão de Heather no braço de Cody se afrouxa.

— Levar você aonde? — pergunta ela. Sua voz se abranda quando se dirige a mim e de imediato me arrependo por ter envolvido Cody. Em particular quando ele não queria ir. Eu devia ter pensado num jeito de ir sozinha.

— A Los Angeles — respondo.

— VOCÊ A LEVOU A LOS ANGELES? — A voz de Heather voltou a um urro e seus dedos apertam novamente o bíceps de Cody.

— Por favor — imploro. — Por favor, não fique zangada com ele. Ele tentou me impedir. Mas eu estava decidida a ir.

— Que raios vocês foram fazer em Los Angeles?

Os olhos de Cody voltam-se rapidamente para mim. De imediato, sei o que ele está pensando. Cody se pergunta se vou contar a verdade a Heather. Sobre o que fizemos. Com quem falamos. O que ela nos disse.

— Eu... — começo, hesitante.

Mentir protege as pessoas.

— Eu queria ir ao aeroporto — concluo. — Pensei que podia estimular uma lembrança. Achei que ajudaria.

Heather solta um suspiro pesado e larga o braço de Cody. Ouço a mim mesma suspirando também.

— Violet — começa ela, a voz de novo gentil. Paciente. É a Heather de ontem e de antes de ontem. Aquela que me pegou no hospital e me preparou um sanduíche de queijo quente. — Você não pode escapulir assim de casa. Agora você está sob nossa responsabilidade. É tarefa nossa garantir que esteja em segurança. E só podemos fazer isso se soubermos onde você está o tempo todo.

— Me desculpe — digo. — Eu não devia ter saído.

— Não, não devia — diz ela, depois volta a atenção para Cody. — E *você* — agora com mais ênfase — não devia tê-la levado. Está de castigo até o início das aulas.

— Mãe! Isso não é justo! Você ouviu o que ela disse! Ela basicamente me raptou.

— Não me importa — diz Heather. — Ainda está de castigo.

Cody chuta uma pedrinha na entrada de carros.

— Que saco!

Quero perguntar o que significa *estar de castigo*, mas desconfio de que não seja a hora certa. Qualquer que seja a definição, posso ver pela linguagem corporal de Cody que a expressão não tem uma associação positiva. Estendo a mão e toco gentilmente o cabelo dele. É algo que Kiyana costumava fazer comigo no hospital quando eu estava aborrecida, e de algum jeito sempre fazia com que eu me sentisse melhor.

— Desculpe, Cody.

Seu rosto fica vermelho e ele escapole por baixo do meu braço. Depois se arrasta para casa, resmungando.

— Tanto faz.

Heather me olha de novo.

— Violet, querida, você sabe que se quiser ir a algum lugar, pode procurar por nós.

— Achei que vocês não me levariam.

Minha primeira verdade.

Heather acaricia meu braço.

— É claro que levaremos você. Aonde você quiser ir. Mas me prometa que, no futuro, se quiser ir a algum lugar, vai nos pedir.

E aparentemente minha última verdade também. Porque mesmo antes de abrir a boca, sei que minha resposta será outra mentira.

— Prometo.

— Que bom. — Ela sorri. O primeiro sorriso que vejo desde que chegamos em casa. — E então, deu certo?

— O quê?

— Ir ao aeroporto. Estimulou alguma lembrança?

Em um clarão, vejo tudo: Brittany, a agente de embarque. O mar. Meu medalhão. A gravação. O garoto.

"*Procure se lembrar do que realmente aconteceu. Tente se lembrar de mim.*"

— Não — digo.

Ela passa o braço pelo meu ombro e me aperta.

— Não se preocupe. Um dia, tudo voltará a você.

Faço o gesto de cabeça de quem concorda e mal consigo abrir um sorriso.

— E amanhã bem cedo — diz ela animadamente —, vou te levar a um lugar que garanto que vai te distrair por um tempo.

Olho para ela, genuinamente curiosa.

— Onde?

Ela abre um largo sorriso e dá uma piscadela.

— Ao *shopping*.

17
EXPOSTA

❖

O shopping é um lugar louco. Imenso, cheio de gente e de atividade.

É Heather quem faz as compras. Enquanto andamos por algo chamado loja de departamentos, ela retira artigos das prateleiras e expressa seu entusiasmo com frases como "Ah, isso é lindo!" e "Você ficaria uma gracinha neste!" e "Se eu tivesse o seu corpinho, usaria isto!".

Uma mulher simpática chamada Irina nos mostra uma sala pequena no fundo onde devo vestir as roupas, para saber se cabem.

– Quer que eu entre com você? – pergunta Heather. – Ou posso esperar aqui fora, depois você sai e me mostra as coisas de que gostou.

Dou de ombros. Na realidade, não tenho preferência.

– O que você quiser.

Ela opta por entrar nos provadores comigo.

– Só para o caso de você precisar de ajuda ao vestir alguma coisa – explica. – Tem zíper que é difícil de alcançar.

Heather senta-se em um banco e olha enquanto eu experimento, uma por uma, todas as roupas que ela escolheu para mim. Como aparentemente não tenho opinião a respeito de nada, ela toma as decisões sobre o que está caindo bem e o que não está.

— Não é divertido? — pergunta Heather enquanto coloco um vestido roxo pela cabeça.

Ela puxa o vestido pelos meus joelhos.

Concordo com a cabeça para satisfazer-lhe.

— Sim. É divertido. — Mas na verdade acho o processo bastante tedioso.

— Ah... — Ela suspira, os olhos se iluminando enquanto admira o vestido. — Fica simplesmente deslumbrante em você! — Ela se levanta e avança ansiosamente para a porta. — Vamos dar uma olhada no espelho grande.

Heather me leva pelo corredor na direção de uma plataforma com três espelhos em semicírculo.

— Anda, sobe aí para ver as costas.

Obedeço, virando-me de um lado para outro para ver o vestido de cada ângulo. Confesso que é bonito. O tecido é leve e macio. A cor combina com meus olhos. E parece vestir bem em mim. Mas, além disso, não sei o que pode ter deixado Heather tão animada.

Ouço passos atrás de nós e quatro garotas entram no provador, rindo.

— Aimeudeus, Lacey! — exclama uma delas. — Essa saia vai ficar tão linda em você. Trevor vai se apaixonar loucamente no minuto em que você entrar na festa hoje à noite.

Observo a garota que segura o cabide com a saia — Lacey, imagino — e nossos olhos se encontram por um breve segundo. Ela me abre um sorriso de lábios apertados antes de entrar em uma das cabines com as amigas e fechar a porta.

— Você super precisa comprar — concorda outra garota. — Vai ficar perfeito com aquele cinto branco que você comprou na semana passada.

Continuo a ouvir a conversa delas enquanto Heather me leva de volta à nossa cabine e me ajuda a tirar o vestido.

– Parece que elas têm a sua idade – observa enquanto me entrega outro para experimentar. – Quer ir falar com as meninas? Talvez pedir a opinião delas sobre o que escolhemos?

Passo os braços pelas mangas e balanço a cabeça. Não consigo pensar em nada que dizer àquelas garotas. Nem temos nada em comum. Sou uma amnésica que gosta de fazer contas, e parece que elas se preocupam mais se um cinto pode ou não fazer com que alguém chamado Trevor se apaixone mais rápido.

Além disso, depois de observar a empolgação delas, começo a pensar que meu desinteresse por experimentar roupas não é normal. Pergunto-me se eu costumava ficar tão entusiasmada com as compras como essas meninas. Antes de a minha vida se transformar em um vazio negro e gigantesco e me restar apenas um medalhão oco, um bilhete enigmático e uma montanha de perguntas sem resposta.

De certo modo, duvido disso.

Começo a ter a sensação de que minha vida *nunca* foi normal.

– Esse também é bonito – comenta Heather. – Vamos colocar na pilha.

Tiro o vestido pela cabeça e o devolvo a Heather.

Há uma batida na porta.

– Como está tudo por aí? – pergunta Irina.

Heather faz o inventário dos artigos que colocou em sua coleção.

– Estamos quase terminando. – Ela ergue o vestido roxo para mim. – Acho que você pode sair daqui vestida neste. Fica tão bonito em você.

– Se me entregar a etiqueta, posso processar o pagamento – propõe Irina do outro lado da porta.

— Ótimo. — Heather puxa a etiqueta de preço do vestido e coloca o cabide no gancho. Depois reúne sua seleção nos braços. — Vou escolher alguns acessórios e encontro você no caixa.

— Tudo bem.

Ela sai pela porta dos provadores e fico sozinha com meu reflexo.

Lacey e sua comitiva risonha saem alguns minutos depois e o ambiente fica em silêncio. Olho fixamente a menina no espelho, usando nada além de calcinha e sutiã. Vejo sua pele macia e cor de mel, pernas magras e longas, cabelo castanho claro brilhante e olhos violeta. Apesar de tudo o que aconteceu — apesar dos esforços que fiz —, ela ainda não passa de outra coisa desconhecida que tenho esperanças de um dia reconhecer.

Heather disse que eu era bonita. As enfermeiras no hospital disseram que eu era bonita. Até Irina disse que eu era bonita quando nos mostrou a cabine. Mas não consigo enxergar isso.

Não sei o que significa ser bonita.

E, de repente, me vejo perguntando se aquele garoto do supermercado me acha bonita também.

Aquele ponto no meio da minha testa esquenta de novo. Como aconteceu quando ele se postou diante de mim no estacionamento. Procuro tirar a ideia da cabeça, constrangida até de tê-la alimentado.

Nesse momento, ouço a voz de Irina pela porta fechada. Aos sussurros, mas escuto cada palavra.

— Não. É ela. Eu juro — diz ela. — Tem aqueles mesmos olhos roxos. É a garota. Aquela do noticiário, que sobreviveu ao desastre. Está aqui, comprando roupas.

Todo o meu corpo se transforma em gelo e escancaro a porta, vendo que ela está falando ao celular.

— Por favor, não — peço. — Não conte a ninguém que estou aqui. Não posso mais lidar com o circo da mídia. Não posso passar por isso de novo.

A boca de Irina paira aberta e seu celular escorrega da mão. Ela por pouco não o deixa cair e se atrapalha ao recolocar na orelha.

— Ligo para você depois — diz apressadamente e mete o telefone no bolso.

— Eu p-p-peço desculpas — gagueja ela, os olhos arregalados. — Era minha irmã. Ela não vai contar a ninguém. Estou muito empolgada por conhecer você. Nunca tivemos uma celebridade na loja.

— Não sou uma celebridade — insisto. — Sou apenas uma menina tentando entender quem é e de onde veio.

A verdade.

A sensação é boa.

Ela concorda com a cabeça e gesticula rapidamente entre nós duas.

— Bom, isto deve ser uma pista, não?

— O quê?

— O fato de que você fala russo, é claro. E é impecável! Não tem sotaque nenhum!

Pisco os olhos.

— Do que você está faland... — Mas antes que eu consiga concluir a pergunta, ouço. As palavras. Os sons ásperos e desconhecidos. Não estão em português. E certamente nem em inglês.

— Não falaram sobre isso no noticiário — diz ela. E agora ouço na voz dela também. A mesma língua.

Russo.

Eu falo russo.

Mais essa agora.

— Deve haver algum engano — digo, passando ao inglês e voltando à minha cabine. Fecho a porta e a tranco, desabando na banqueta e enterrando a cabeça nas mãos.

Não chorei desde o dia em que Kiyana me mostrou meu próprio rosto no hospital. Mas não consigo evitar. As lágrimas se formam sozinhas. Não tenho controle sobre elas. Escorrem pelo rosto. Eu fungo e tento enxugá-las, mas é uma tarefa interminável. Elas não param de sair.

— Você está bem, querida? — chama Irina, pela porta, felizmente em inglês.

— Sim — minto, embora imagine que não seja muito convincente.

— Eu... vou ajudar sua... mã... hmm... a senhora que veio com você. — Ouço os passos de Irina se afastando e volto a cair em prantos.

Mãe. Era o que ela ia dizer.

Minha mãe.

Até *ela* sabe que Heather não é minha mãe. Até ela sabe que não tenho família. Pelo menos não uma família que se importe o suficiente para vir me resgatar. Quem é minha mãe? Ela fala russo? Português? As duas coisas?

Ela é boa em matemática, como eu?

Também detesta fazer compras?

Será que é tão ocupada que não tem tempo para ver o noticiário e saber que a filha está perdida e sozinha, precisando desesperadamente de algumas respostas que façam sentido?

Ouço uma batida fraca na porta da cabine. Irina deve ter dito a Heather que eu estava aborrecida. E Heather, sendo a mãe substituta carinhosa e gentil que é, veio correndo ajudar.

Fungo, enxugo o rosto e me coloco de pé.

Quando abro a porta, porém, fico assustada ao ver o garoto parado diante de mim. O cabelo preto e ondulado está penteado para trás. A testa está vincada de preocupação enquanto os suaves olhos chocolate me fitam. Depois ele vira a cabeça de lado, examinando minha situação.

Lágrimas.

Muco.

Sem roupa.

Só então percebo que ainda não me vesti. A lógica me diz que devo me importar. Se as pessoas quisessem ser vistas de calcinha e sutiã, não teriam esses provadores com tranca nas portas.

Mas não me importo.

A única coisa que me incomoda nesta situação é o fato de que não parece me incomodar. Em nada.

Outro item a acrescentar na minha lista de anormalidades.

Mesmo assim, pego o vestido roxo no cabide e o seguro sobre meu corpo exposto. Só pela impressão.

Ele sorri da minha tentativa. Como se ele *soubesse* que é só atuação.

— Já vi tudo isso — diz ele. Seu sorriso rapidamente desaparece e é substituído por uma expressão sincera. — E ainda é lindo.

Não sei o que dizer. Nem mesmo sei se quero falar com ele. Não consigo lidar com isto agora.

Preciso sair daqui.

Jogo o vestido sobre a cabeça e puxo a bainha até os joelhos.

Ele observa o tecido cair pelas minhas pernas. E seu sorriso encantador volta.

— É bom ter você dentro de *alguma coisa* além daquele troço cinza e chato que você sempre vestiu.

As roupas que eu usava quando me encontraram. Aquelas que Kiyana guardou para mim em um saco de papel pardo.

Ele sabe delas.

Mas não me importa. Diga o bilhete o que quiser, independentemente do que me contou a agente de embarque, do jeito como os olhos dele parecem esquentar minha pele e me derreter por dentro, não quero fazer isso. Eu não *quero* confiar nele. Não quero acreditar em nada que ele tenha a dizer. Só quero comprar umas roupas normais, ir para a casa de uma família carinhosa e normal e tentar ter uma vida normal.

Passo esbarrando por ele. O garoto não tenta me impedir.

— Você foi ao aeroporto — afirma, como se fosse um fato notório.

— E daí? — murmuro.

— Daí que agora você sabe que eu disse a verdade. Que você não estava no avião.

— Não. Eu *não sei* disso. — Avanço pela fila de cabines vazias, decidida a sair dali. Mas algo me detém. Viro-me.

— Espere um minuto. Como você sabe que eu fui ao aeroporto? — Meus olhos se arregalam de pavor. — Você esteve *me seguindo*?

Ele dá de ombros como se isso não fosse importante.

— Preciso garantir que esteja em segurança. É minha tarefa proteger você.

— Sua *tarefa*?

— Bem — diz ele —, não é um título oficial. Só algo que certa vez eu jurei fazer. Mesmo que você não se lembre disso, ainda estou decidido a cumprir esta promessa.

Mordo o lábio inferior enquanto tento controlar meu gênio. Esse garoto, apesar da sua capacidade de entrar nos bolsões fundos e recônditos da minha mente e ficar ali, já está seriamente me dando nos nervos. Suspiro.

— Me proteger de *quem*? Daquelas pessoas que supostamente procuram por mim, mas que eu ainda não vi?

— Sim. — Sua expressão agora é solene. Como se passasse uma nuvem por seu rosto. Ele gesticula para o meu punho esquerdo. — As mesmas pessoas que deram isso a você.

Puxando o ar incisivamente, baixo os olhos para a linha preta e fina e tento escondê-la com a outra mão.

– Só porque você sabe da tatuagem, não significa...

– Não é uma tatuagem.

Tenho certeza absoluta de que eu já sabia disso.

– É um dispositivo de localização – continua ele.

Meneio a cabeça. Sei que devo continuar andando. Dar as costas a esse garoto para sempre e continuar tentando esquecer que ele sequer existe. Mas algo me leva a insistir.

– Quem é você?

– Meu nome é Lyzender.

Justo como eu suspeitava. Não significa nada para mim.

– Não reconheço este nome – digo categoricamente.

Espero que ele fique de queixo caído. Espero ver a decepção em seus olhos.

Mas não vejo.

Ele parece decidido, como sempre. Avança em minha direção, segura minha mão, aperta. Apesar de meu impulso de fugir, não me afasto. Seu toque é quente. Reconfortante. Quase... *familiar*.

– Você *não reconheceria* este nome – admite ele. – Você sempre me chamou de Zen. Dizia que era porque eu lhe dava paz.

Um tremor sobe pelas minhas pernas. Enfraquece minha coluna. Meu corpo começa a desmoronar. Esforço-me para continuar de pé.

Lyzender. Zen. Z.

Seraphina. Sera. S.

S + Z = 1609.

Minha respiração acelera. Tento falar, mas parece que as palavras não conseguem tomar forma. Minha boca fica seca. Áspera. Passo a língua pelo céu da boca até sentir a saliva voltar a se formar.

Penso na conversa que tive com Cody – aquela no ônibus para Los Angeles – e consigo perguntar:

– Você é... hmm... era meu namorado?

Os olhos amendoados se estreitam quando ele sorri. Ele aperta minha mão de novo.

– Prefiro pensar que eu era mais que isso.

– Como assim?

Vejo que a cor no rosto dele muda. Não assume o mesmo tom de vermelho que testemunhei na pele de Cody tantas vezes, mas há um nítido toque de escarlate ruborizando as bochechas. Ele baixa os olhos.

– Você me disse que eu era sua alma gêmea.

Pelo jeito com que ele diz *alma gêmea*, percebo que significa alguma coisa. Algo importante.

Gêmeo: irmão idêntico.

Alma: o princípio da vida, do sentimento, do pensamento e dos atos nos seres humanos; considerada uma entidade distinta e separada do corpo.

Olho ansiosamente a mão dele na minha.

– Não sei o que isto quer dizer.

Ele ri baixinho. Com astúcia.

– Também tive que ensinar a você na primeira vez.

Na primeira vez?

Isso me aconteceu antes?

Minha mente dispara até o bilhete. Aquele que agora está dentro da primeira gaveta da cômoda.

Confie nele.

– Você precisou me ensinar uma expressão? – pergunto.

– Tive que ensinar muitas coisas a você.

– Por quê?

– Sera – insiste ele, puxando de leve minha mão –, venha comigo. Agora. Prometo responder a suas perguntas. Mas aqui não é seguro.

— Por quê? — repito, inflexível, ignorando seu pedido. — Por que você teve que me ensinar coisas?

Ele esfrega o queixo e olha por sobre o ombro. Por fim, solta um suspiro fundo.

— Eles foram muito seletivos quanto ao vocabulário que você conhecia. Acho que era assim que tentavam controlar você.

— Quem? — exijo saber, retirando a mão da dele. Minha fúria finalmente transborda e agora assume o controle. — De quem você está falando?

Ele também parece ter perdido o controle das emoções. Porque, quando responde, sua voz é muito mais incisiva. Autoritária. Para não dizer bem mais alta.

— Estou falando das pessoas que deixaram você assim! — Ele gesticula para todo o meu ser.

— Assim como?

— Não me diga que você não percebeu. Porque eu sei que sim. Você não é igual aos outros. É diferente, Sera. Você é especial. Tem capacidades singulares que os outros não têm. Nada disso lhe parece familiar?

Parece. Parece familiar *demais*.

Mas neste momento é a última coisa em que quero pensar.

Meu cérebro está em brasa. Fecho os olhos e esfrego as têmporas em círculos pequenos com a ponta dos dedos.

— Não quero ser diferente — sussurro. — Só quero ser normal. Só quero encontrar minha família.

— Mas você *não é* normal — insiste ele, mais uma vez num tom tranquilizador. — Creio que a essa altura você já entendeu isso. E, pelo que sei, você não *tem* uma família.

Abro os olhos e recuo dois passos largos.

— Do que você está falando? — pergunto num tom calculado.

— Sera — começa ele, estreitando o espaço entre nós. Coloca as mãos em meus ombros. Seu toque é urgente. Pesado. — Quando eu a conheci, você morava em um *lab*.

Lab: *abreviatura de laboratório.*

Laboratório: *uma construção, parte de uma construção ou outro lugar equipado para a realização de experiências, testes e pesquisa científicos.*

Ele ainda fala.

– No complexo de uma empresa chamada Diotech. É um enorme conglomerado de tecnologia. Você estava envolvida em um dos projetos de pesquisa deles. Eles fazem de tudo, de aeronáutica a ciência experimental e... – Zen se interrompe e assente de forma ambígua na minha direção. Depois parece mudar de ideia e, em vez de continuar, apela: – Escute. Estou na Bradbury Drive, 1952, sala 302. Encontre-me lá e explicarei tudo a você.

Balanço a cabeça e tapo os ouvidos, mas de nada adianta para bloquear a voz dele. Procuro algo que possa contar.

Ladrilhos no chão. Mas não são suficientes.

– Não – decido com fervor. – Você está mentindo. Tudo isso é mentira!

Ele tenta pegar minha mão de novo, mas eu a afasto depressa demais – com uma velocidade que *não é natural* –, de tal modo que a mão é um borrão diante dos meus olhos.

– Sera, por favor – insiste ele.

– Não me chame assim! – urro. – Esse não é o meu nome! E você não é minha... minha... *alma gêmea*. Você não é nada! Eu não *conheço* você! E não sei por que você fica me dizendo essas coisas horríveis que não são a verdade, mas não quero ouvir mais. Por favor, me deixe em paz!

Giro o corpo e parto intempestivamente para a porta, decidida a encontrar Heather e sair dali o mais rápido possível. Espero ouvir passos atrás de mim, mas tudo é silêncio. Contenho o impulso de me virar e ver a reação dele.

E então, da quietude, vem sua voz. Apaixonada e ardente:

– "Que para a união de almas sinceras eu não admita impedimentos."

E antes que eu consiga processar o que ele diz — antes mesmo que consiga entender o que está acontecendo —, sinto meus lábios se mexerem. Ouço minha própria voz falando. Quase como se viesse de outro lugar. Uma entidade distinta do meu corpo. *Separada*.

— "Amor não é amor se ao enfrentar alteração se altera, ou se curva a qualquer pôr e dispor."

Fico imóvel, repassando as palavras mentalmente. O que significam? De onde vieram? Como as conheço?

Eu as recitei de... *memória?*

Viro-me e olho mais uma vez o garoto. Aquele que se chama Zen. Aquele que se diz minha alma gêmea.

Seus olhos se iluminam. Os lábios se separam.

— Bem-vinda de volta, Seraphina.

18
FICÇÃO

❖

Meus instintos assumem, e faço a primeira coisa que me passa pela cabeça.

Fujo.

Disparo pela porta e passo num ziguezague frenético pelas roupas até que encontro Heather, junto do caixa.

— Preciso ir. Agora.

Ela me olha, alarmada.

— Por quê? O que houve? Está tudo bem?

Não. Definitivamente não está.

Concordo com a cabeça.

— Sim. Eu só quero ir embora.

Irina entrega a Heather três sacolas grandes e um recibo. Heather agradece e se vira para mim.

— Tudo bem. Vamos embora.

Ando bem atrás dela a caminho da saída. Vejo o garoto me observando da porta, onde o deixei. Seus olhos acompanham cada passo que dou. Cada movimento meu.

Sinto o rosto esquentando de raiva. Meus dentes trincam.

Tenho raiva dele por mentir para mim. Por claramente tentar tirar proveito da minha perda de memória, abusando da minha ingenuidade. E tenho raiva de mim mesma por acreditar nele. Mesmo que por um segundo.

— Acho que compramos umas coisas lindas — diz Heather ao dar a partida no carro e engrenar a ré no estacionamento.

— Sim. — Olho sem ver pela janela, pensando em todas as coisas que ele me disse e tentando anular uma por uma.

Você nunca esteve naquele avião. Mentira.

Seu nome é Seraphina. Mentira.

Eu lhe dei o medalhão. Mentira.

Você é uma espécie de experimento científico humano de uma empresa chamada Diotech.

Até eu, a amnésica disfuncional, posso reconhecer que isso é ridículo.

Heather me olha de soslaio. Devo ter trincado os dentes de novo, porque ela coloca a mão carinhosa em meu braço e pergunta:

— Aconteceu alguma coisa no provador enquanto eu estava longe?

Encolho-me com a lembrança.

— Não.

— Foram aquelas meninas? — ela tenta adivinhar. — Elas disseram alguma coisa que a aborreceu?

Quem me dera fosse tão simples assim. Quem me dera eu fosse um ser humano normal que não fala línguas estrangeiras sem saber que estava falando e resolve problemas matemáticos insolúveis sem lembrar como fez. Quem me dera eu não tivesse garotos me seguindo por aí, me enchendo de mentiras descaradas e ofensivas. Assim talvez meu único problema fossem meninas em um provador de uma loja de departamentos.

Mas minha vida não é tão simples como Heather gostaria que fosse. Estou aprendendo isso rapidamente.

E agora só quero que ela pare de me fazer perguntas.

Quero esquecer o garoto e todas as coisas inexplicáveis que me aconteceram.

— Não — garanto novamente. — Eu estou bem. Não aconteceu nada.

Sinto Heather se esforçando. Ela quer pressionar e investigar mais a fundo, mas sente que não estou disposta a falar. Fico agradecida quando ela continua em silêncio e me deixa em paz.

Sinto-me desolada e perdida. Sem uma identidade. Sem um lar. Sem nada.

Não sei quem sou, nem o que sou.

Certamente não sou como aquelas meninas dos provadores. Não sou como os Carlson.

E até Cody admitiu que não sou parecida com as outras meninas que ele conhece.

Então, como eu sou? Onde me encaixo?

E a pergunta que verdadeiramente começa a me atormentar: se aquele garoto — aquele que diz se chamar Zen — estiver mesmo mentindo, por que todas as respostas dele fazem sentido?

Assim que chegamos em casa, vou direto para o quarto de Cody. Quando abro a porta, ele está sentado na cama, lendo uma revista.

— Preciso mesmo instalar uma tranca *deste* lado da porta — resmunga ele. Claramente não está satisfeito comigo. Acho que isso eu entendo.

— Eu... — Atrapalho-me com um pedido de desculpas, mas é evidente, pelo caráter forçado da minha voz, que os pedidos de desculpas não são algo que eu domine inerentemente, ao contrário de problemas matemáticos e línguas estrangeiras. — Me... desculpe... por...

— Tá, tá — resmunga ele. — Me poupe. O que você quer agora?

— Preciso da sua ajuda.
Ele bufa.
— Pode esquecer.
— Por favor, Cody.
— Talvez você não tenha ouvido direito — começa ele, no tom mais maldoso que já ouvi —, se por acaso você já se *esqueceu* da conversa que aconteceu lá fora ontem, estou de castigo. Tipo a vida toda. E tudo graças a você. Então, se você acha que vou te ajudar de novo...
— Eu só preciso usar a internet — interrompo.
Seus olhos se estreitam com desconfiança.
— A internet?
— Sim.
— É só isso?
— Sim.
— Não vai me pedir para te levar a Guam ou coisa assim?
— Não. — Paro, refletindo. — A não ser que a internet seja melhor lá.
Cody fica em silêncio por um breve momento, depois solta uma gargalhada.
— Isso foi uma piada? A famosa supermodelo amnésica fez mesmo uma *piada*?
Não era uma piada. Mas sei que não devo admitir, porque o que quer que eu tenha dito evidentemente parece ter melhorado seu humor sombrio. Assim, abro um sorriso e dou de ombros.
Cody fecha a revista, que agora vejo ter o título *Popular Science*, e desliza para fora da cama.
— Tudo bem — diz ele com um suspiro forte. — Pode usar meu laptop. — Ele pega na mesa do canto um dispositivo de metal retangular e fino, mete debaixo do braço e gesticula para que eu o acompanhe. — Vem. Vou instalar no seu quarto e te ensinar a usar. Mas não procure pornografia aqui. Meus

pais têm um daqueles serviços de rastreamento de ciberbabá e eles podem saber de tudo que eu vejo. – Ele se retrai. – Aprendi isso do pior jeito possível.

Cody passa pelo banheiro e entra em meu quarto. Sigo de perto.

– O que é pornografia? – pergunto.

Ele ri e coloca o laptop na minha cama.

– É... quer saber? Deixa pra lá.

Cody se senta e fico de pé junto dele, que abre o dispositivo, revelando uma tela preta e um teclado preto e prateado.

– Isso é um computador? – pergunto, olhando fascinada enquanto ele aperta um botão redondo e pequeno e toda a máquina se ilumina.

Cody me lança um olhar estranho.

– É.

Ele espera enquanto a tela passa por um ciclo de imagens e texto. Seus olhos disparam nervosos para mim, notando o vestido novo.

– A propósito, você está... bonita.

Abro um sorriso e agradeço, porque parece ser a reação certa.

Ele dá outra espiada.

– Esse vestido é... – começa, mas seu rosto se tinge e ele vira a cara. – Bem... fica bem em você. O que é uma boa mudança. É só isso.

Passo as mãos pelo tecido roxo e macio.

– Sim – concordo. – Fica muito bem.

Cody dá um pigarro.

– Mas, então, você digita o que quiser neste quadradinho – explica ele apressadamente, apontando a tela – e o Google vai te mostrar tudo o que existe sobre o assunto.

Ele puxa o computador para si.

– Isto, por exemplo.

Ele digita:

Voo 121 Freedom Airlines, sobrevivente.

Cody aperta uma tecla escrita "Enter". No mesmo instante a tela se transforma em uma lista de resultados. Lá pelo meio da página, há uma série de fotografias. Minhas. Reconheço a foto que mostraram nos noticiários, e as outras parecem ter sido feitas quando eu estava saindo do hospital para o carro, no dia em que recebi alta.

No dia em que vi o garoto na multidão.

— Tira isso — digo com urgência a Cody. — Coloca outra coisa. Por favor.

Ele examina meu rosto com curiosidade por um momento antes de finalmente ceder.

— Tudo bem. O que você quer procurar?

Baixo os olhos.

— Algo que talvez eu tenha lembrado, mas não sei o que é.

Suas sobrancelhas se erguem, interessado.

— Tá brincando? O que foi?

Respiro fundo e deixo minha mente vagar de volta ao provador. Embora eu não queira repetir, preciso saber o que significa.

— "Que para a união de almas sinceras eu não admita impedimentos" — recito, esperando que Cody demonstre a mesma perplexidade que tive quando ouvi as palavras e confirme o que acreditei desde então: que não significam nada.

Mas ele não faz isso.

Pelo contrário, ele ri.

— Que foi? — pergunto, ofendida.

— Essa é a primeira lembrança que você tem?! — Ele ri ainda mais.

Não entendo por que isto é engraçado. E também não gosto da ironia dele.

— Sim. Por que está rindo?

Ele enxuga os olhos.

– Desculpe. Só acho uma doideira total que você não consiga se lembrar do que é a internet, mas conhece o soneto 116 de Shakespeare.

Meus olhos se arregalaram de surpresa.

– O quê de Shakespeare?

– É um poema famoso.

Fico um tanto decepcionada. *Um poema.* Por que eu me lembraria de um poema? Justo disto?

– Bem, o que ele quer dizer? – pergunto com impaciência.

Cody revira os olhos.

– É uma porcaria idiota qualquer sobre o amor eterno ou coisa assim. – Ele mete o dedo na boca e imita o barulho de vômito.

Amor eterno?

Penso no medalhão na primeira gaveta da cômoda. Dois corações, entrelaçados no meio.

– Como você sabe disso? – pergunto.

– No ano passado, estudamos Shakespeare na escola.

– Então, talvez eu tenha aprendido lá também, não é? – pergunto, as esperanças de imediato se elevando. – Na escola?

E não em algum laboratório sinistro.

Só uma escola comum e cotidiana.

Ele dá de ombros.

– Provavelmente. As garotas se amarram nesses trecos melosos. Então, acho que não me surpreende que você se lembre. – Ele reflete por um segundo. – Ou você pode ter sido fera em história, tipo assim.

Isto despertou meu interesse.

– História?

– É – diz Cody, como se fosse o óbvio. – Esse poema foi escrito tipo quatrocentos anos atrás.

Meu sangue começa a bombear mais rápido enquanto a mente faz as contas no automático.

— Quatrocentos anos atrás — repito. — Em que ano?

Ele dá de ombros de novo.

— Não sei. Mil seiscentos e qualquer coisa.

— Mil seiscentos e O QUÊ? — exijo saber, surpresa com a intensidade em minha voz.

Cody me lança um olhar de desprezo.

— Relaxa. Eu não sei.

Exasperada, gesticulo para o computador.

— Caramba, você não pode procurar?

Ele joga as mãos para cima.

— Tá legal, tá legal. Calminha aí.

Enquanto ele digita, minha perna quica, nervosa. Cody me lança outro olhar estranho.

A tela se transforma em uma página de texto. Aparece a imagem de um homem de cabelo preto esbaforido e uma camisa branca de gola alta sob o nome "William Shakespeare".

— Tá legal, vamos ver. — Cody se curva para a frente. — Soneto 116. Diz aqui que foi publicado pela primeira vez em — seus olhos percorrem a página rapidamente — 1609.

19
VISITA

❖

Heather diz que Scott quer que jantemos com ele no centro. Vamos a uma coisa chamada restaurante. Cody explica, no banco traseiro do carro, que é o que as pessoas fazem quando não querem cozinhar em casa. Ou quando querem uma comida melhor do que a mãe sabe fazer.

Heather lança um olhar azedo pelo retrovisor.

— É melhor ficar agradecido por levarmos você, Cody.

Ele cruza os braços e solta um *aff* pelos lábios.

— Seu pai e eu ainda estamos muito decepcionados com você.

— Tanto faz. — É a resposta dele.

No restaurante, Heather me mostra como pedir a partir de um cardápio e recomenda alguns itens que ela acha que vou gostar. Por fim, decido por algo chamado penne gratinado porque Heather diz que um dos ingredientes também compõe o sanduíche delicioso que ela fez para mim alguns dias atrás.

E embora a comida seja muito boa — incrivelmente boa —, não consigo desfrutar inteiramente. Estou distraída. Os acontecimentos do dia têm um ciclo interminável de reprises.

— Vocês se divertiram no shopping hoje? — pergunta Scott depois de sugar um macarrão comprido para dentro da boca.

— Sim — minto.

Parece que ultimamente ando fazendo muito disso. Pergunto-me se de algum modo indica quem eu costumava ser.

— Compramos umas coisas muito lindas — acrescenta Heather. — Foi muito divertido poder fazer compras para uma menina, para variar.

Do outro lado da mesa, vejo Cody revirar os olhos. Está totalmente envolvido com alguma coisa no celular.

Não sou de falar muito, e logo a conversa passa ao tema do trabalho de Scott. Fico agradecida por ter tempo para pensar.

Por que estou recitando poesia de 1609?

Por que tenho um medalhão com esse mesmo ano gravado no verso?

Por que essa foi a primeira coisa que eu disse quando me retiraram do mar?

E por que esse menino — *Zen* — é o único que parece saber alguma coisa a respeito de tudo isso?

Não sei no que acreditar. Não sei em quem confiar. Não posso confiar nem mesmo em minha própria mente. Quero escapulir para baixo desta mesa e jamais sair daqui. Quero nadar para o mar e nunca mais voltar. Eu só quero fugir.

Depois do jantar, fomos para o ar cálido da noite de verão. É refrescante e rejuvenescedor em minha pele. O sol já se pôs e sinto o leve cheiro do mar alguns quilômetros daqui. Scott leva Cody no carro dele, dizendo algo sobre passar rapidamente na drogaria, e eu sigo com Heather.

Ela percorre a rua escura e sinuosa que leva a casa, os faróis iluminando apenas uma curta distância a nossa frente. À medida que nos aproximamos da entrada, noto um homem subindo a ladeira, vindo do outro lado. Heather o vê uns bons cinco segundos depois e reduz a velocidade do carro.

Acho estranho que alguém esteja andando sozinho no escuro, mas isso não parece incomodá-la. Ela simplesmente sorri e acena. Como sempre faz quando passa por pedestres. Outro dia, no caminho para o supermercado, ela explicou que é algo que as pessoas fazem nas cidades pequenas: elas se cumprimentam.

Mas o homem não retribui o aceno.

À medida que o carro chega mais perto, os olhos dele se fixam nos meus e meu coração salta para a garganta.

Eu o reconheço.

Ele é alto, tem cabelo castanho avermelhado brilhante e barba da mesma cor.

Eu o vi ontem. Estava no ônibus que Cody e eu pegamos do aeroporto para a rodoviária.

Em *Los Angeles*.

A quase 300 quilômetros daqui.

Então, o que ele está fazendo *aqui*? *Nesta* cidade? *Nesta* rua?

Heather está totalmente distraída e não repara na minha reação e na estranheza da situação. Enquanto isso, meu cérebro procura explicar esse fato. Quando o vi olhando para mim no ônibus, supus que tivesse me reconhecido dos noticiários. Assim, baixei meu boné e me virei.

Mas não posso fazer isso agora.

Não posso me virar e ignorá-lo.

Observo-o atentamente até que ele passa, depois giro a cabeça e continuo a examiná-lo pelo vidro traseiro. Ele para. Fica no meio da rua, olhando o carro de Heather pegar a entrada da casa.

Penso nos desdobramentos. Esse homem, seja lá quem for, agora sabe onde moram os Carlson. Onde *eu* moro.

É provável que ele seja só outra daquelas pessoas que querem aparecer, de quem Kiyana me alertou no hospital. É provável que ele só queira uma fotografia da garota que caiu do céu e sobreviveu para contar a história.

Mas não são *essas* opções que me dão um nó no estômago.

São as *outras*. Aquelas que eu não conheço. Aquelas criadas pela minha imaginação.

"Há pessoas procurando por você, e acredite em mim quando digo que você não vai querer que elas a encontrem."

Uma sensação estranha toma todo o meu corpo. Meus músculos formigam. Quase como se estivessem se aquecendo para alguma coisa. *Antevendo*. Meus braços e pernas vibram. Minha cabeça fica leve. Quase tonta. Meus dedos se contorcem.

Olho a porta do carro, com o impulso repentino de abri-la, saltar do veículo em movimento e correr. Correr até que esteja muito longe daqui.

Fico cada vez mais inquieta. Nervosa. Minhas pernas queimam. Como se estivessem pegando fogo por dentro. Não consigo entender o que sinto. Não consigo pensar. Só sei que preciso sair daqui. Preciso sair deste carro. *Agora!*

Minha respiração ficou entrecortada e acelerada. Parece que Heather, porém, não percebe. Ela continua a conduzir o carro pela longa entrada na direção da casa. Estamos quase chegando. Só mais alguns segundos. Agora todo o meu corpo sofre abalos. Coloco a mão trêmula na porta.

Quando o carro enfim para, puxo rapidamente a maçaneta e abro a porta, preparando-me para correr. Mas sou impedida por um barulho assustador. Um guincho horrível, raspado. De metal e vidro se espatifando.

Heather ofega e deixa cair a caixa com as sobras da comida que trouxe do restaurante, espalhando molho vermelho de massa para todo lado.

Olho para baixo. A porta inteira do carro está jogada na entrada asfaltada.

20
PARTIDA

❖

A noite já caiu há muito, mas a casa ainda está acordada.
    Cody está em seu quarto. Ouço o bater suave de seus dedos. Acredito que esteja jogando outro jogo no celular. Heather e Scott conversam de forma acalorada no quarto.
    E eu estou deitada em minha cama... ouvindo.
    Sei, pelos sussurros, que eles não querem que ninguém ouça a discussão. Mas isso não me parece um problema. Eu a ouço com a facilidade que teria se eles estivessem ao pé de minha cama.
    Heather está muito aborrecida com o incidente da porta do carro. Ela não me disse muita coisa, mas eu sei. Agora ela age de modo diferente perto de mim. Quase arisca. E, assim que Scott voltou da drogaria, ela o levou para o quarto e fechou a porta. Desde então, eu não os vi.
    Mesmo que eu não conseguisse ouvir os dois agora, não seria difícil imaginar que estão falando de mim.
    Mas, felizmente (ou talvez infelizmente), eu consigo.
    — Você devia ter visto, Scott — diz Heather. — Num minuto a porta estava lá. No outro, jogada no chão. Ela arrancou a coisa toda como se fosse de latão. Não acha que isso é meio esquisito?
    — Acho que você está exagerando as proporções desta história — pondera Scott. — Evidentemente, há uma explicação

para isso. Nunca parou para pensar que talvez a porta já estivesse frouxa? Que havia algo de errado na dobradiça e por acaso caiu no momento em que ela a abriu?

Não acredito nessa explicação e também não espero que Heather acredite.

Fecho os olhos e a imagino meneando a cabeça.

— Não. Não havia nenhum problema com a porta, Scott. Portas de carro não caem sem motivo. Estou começando a achar que existe algo de estranho nessa menina.

— Sim — diz Scott com gentileza. — Ela perdeu toda a memória em um desastre de avião. Não vai agir como você e eu.

— Um desastre de avião do qual ela sobreviveu misteriosamente! — A voz de Heather se eleva e de imediato Scott pede que ela baixe o tom. Quando ela volta a falar, está de volta ao cochicho intenso. — Quando ninguém mais sobreviveu. Tem alguma coisa errada, só não consigo situar o que é.

O laptop de Cody ainda está na minha cama. Olho a máquina, hesitante, e por fim levanto-me e a ligo. Depois que está inteiramente carregada, sigo as instruções de Cody até que me pego olhando fixamente uma caixa de busca pequena e branca.

Uma linha preta, vertical e curta, pisca, na expectativa, para mim. Espera que eu aponte uma direção.

Solto um suspiro e começo a bater nas teclas com o indicador, uma letra de cada vez, até que se forma uma palavra:

Diotech.

A empresa de que me falou Zen. As pessoas que ele alegou procurarem por mim.

Olho a tatuagem preta e fina no punho, tentando imaginar como esta marca mínima pode ser usada para me localizar.

Clico em Busca.

A página recarrega, mas os resultados são extremamente decepcionantes. Nada parece ter a mais remota semelhança com a empresa que Zen descreveu.

E, ao que parece, até o Google fica desestimulado com o resultado da pesquisa, porque me pergunta se na verdade não estou procurando *Biotech* em vez de *Diotech*, claramente supondo que devo ter cometido um erro, uma vez que tão pouca informação foi encontrada.

Se essa é uma corporação imensa e poderosa, por que não há nenhuma menção a ela na internet? Cody disse que é aqui que você encontra tudo. Mas não há uma única referência a um conglomerado de tecnologia chamado Diotech.

Mais provas de que o garoto estava mentindo.

Solto um grunhido e me apoio na guarda da cama, olhando, furiosa, a tela inútil. Penso na conversa que tive no provador. Com o garoto que diz se chamar Zen.

"Quando eu a conheci, você vivia em um lab... Em um complexo de uma empresa chamada Diotech. É um conglomerado enorme de tecnologia. Você estava envolvida em um dos projetos de pesquisa deles."

Torço a boca de lado, depois a endireito lentamente. Puxo o laptop para mim e dou início a uma nova pesquisa. Desta vez, lanço mão de cada palavra meio relevante em que consigo pensar:

Diotech + complexo + conglomerado de tecnologia + projeto de pesquisa

Em seguida, pensando melhor, acrescento rapidamente:

Seraphina + Zen

Duvido muito que dê algum resultado, mas ainda assim clico em Busca e espero.

A tela se renova, revelando um resultado.

Apressadamente, clico num link e sou enviada a um site chamado Ultrassecreto: Comunidade para Teóricos da Conspiração.

Parece que a pesquisa me levou a algo chamado quadro de mensagens. No meio da página tem uma caixa cinza com texto branco. Diz:

> A ascensão da Diotech representará a queda da humanidade. Essa enorme corporação fascinará alguns e enfurecerá muitos. Sem resistir, os cidadãos se tornarão presas de sua sedução. Os governos desmoronarão sob o peso de sua soberania. Em apenas alguns anos, a Diotech transformará o mundo que conhecemos. Jamais voltaremos a ser os mesmos.

Minha esperança se espatifa enquanto franzo a testa para a tela. Mas o que *significa* isso?

Avanço mais pela página e descubro que a postagem foi feita por alguém que se chama Maxxer. Ao lado do nome, a foto de um homem de cara comprida e cabelo branco e sedoso caindo pelos ombros. Um dos olhos é castanho escuro, e o outro parece ser feito de vidro azul.

A imagem me deixa nervosa.

Pouco abaixo do post há uma linha que diz *Tags*. Retraio-me quando leio:

Diotech, complexo, conglomerado de tecnologia, projeto de pesquisa, Seraphina, Zen.

São exatamente meus termos de pesquisa. Palavra por palavra. Na mesma ordem em que os coloquei na caixa de busca. Como se quem escreveu isso soubesse exatamente o que eu procuraria.

Como se quem escreveu isso... tivesse escrito para mim.

A ideia me faz tremer.

Apressadamente, fecho a tampa do laptop e o empurro de lado. Volto a me deitar de costas e fecho os olhos. Um andar abaixo de mim, Scott e Heather ainda discutem aos cochichos.

Scott solta um forte suspiro.

– Quando nos apresentamos, sabíamos que seria complicado. Mas precisamos tentar dar apoio. Agora nós somos tudo o que ela tem.

– Eu *estou* tentando – insiste Heather. – De verdade. Às vezes ela é um amor. E consigo ver um ser humano normal ali. Mas, em outras vezes, ela abre a boca e parece que ela é... parece um... – sua voz fica mais baixa – ... um robô.

Abro os olhos e encaro o teto.

Não estou zangada. Não culpo Heather por sentir o que sente. Por ter medo de mim. Eu também, neste momento, tenho medo de mim.

Com todas as surpresas e descobertas estranhas, ninguém sabe o que virá à tona... nem mesmo eu.

Penso na porta do carro jogada no chão e como ela foi parar lá. Apesar das explicações mais realistas que Scott tenta elaborar, sei da verdade. Aquela porta foi parar no chão por minha causa. Porque eu a chutei. Chutei com tanta força que a arranquei das dobradiças.

Sem nem mesmo me esforçar.

E também sei, como tantas coisas a meu respeito, que não é normal a capacidade de arrancar aos chutes portas de carro de suas dobradiças.

O que me deixa com uma única conclusão incontestável: não importa quem eu seja, não sou segura.

Sou volátil e imprevisível. Algo me dominou quando vi aquele cara ruivo. Algo que não consigo explicar. Nem controlar. Foi... instintivo. Uma reação impulsiva.

Para não falar que, se *existem* pessoas lá fora procurando por mim, não posso atraí-las aqui para dentro. Preciso ir embora. Não posso correr o risco de que alguma coisa aconteça com Heather, Cody ou Scott.

Levanto-me e vou à cômoda, abrindo a primeira gaveta e pegando as únicas duas posses que tenho. Meu medalhão e o pedaço amarelado de papel com a minha letra.

Confie nele.

Volto ao computador, abro a tampa e entro com um novo termo de pesquisa:

Bradbury Drive 1952

"Encontre-me lá e explicarei tudo a você."

Aperto Enter. Depois fico roendo a unha. Exatamente como vi Brittany, a agente de embarque, fazer. E agora sei por quê. Tem certo efeito calmante.

Os resultados de busca começam a aparecer, mas, antes que a página seja inteiramente carregada, fecho o laptop com uma pancada de novo.

É melhor que eu não saiba. Eu não vou até lá mesmo.

Pensando bem, talvez tenha sido aquele garoto mesmo que postou a história na internet sobre a Diotech. Usando fotografia e nome falsos. Porque ele sabia que eu procuraria. Talvez ele tenha feito isso para tentar provar suas mentiras loucas. Para conquistar minha confiança.

Mas não deu certo.

Amasso o bilhete e jogo na lixeira do banheiro. Assim que faço isso, sinto uma pontada no peito e minha testa novamente se esquenta. Abro a torneira e jogo água fria no rosto até a sensação passar.

Tiro o vestido roxo e coloco uma regata e uma calça de uma das sacolas de compras que Heather e eu trouxemos do shopping. A regata é branca com debrum azul e a calça tem um tom de castanho-claro com muitos bolsos pelas pernas. Muito funcional. Gosto dela.

Fecho o medalhão no pescoço, sento-me na beira da cama e espero.

À medida que os minutos passam no relógio, a casa finalmente começa a adormecer. Heather e Scott terminam sua discussão e logo ouço o ruído suave de sua respiração estável e ritmada. O tamborilar dos dedos de Cody silenciam. A luz por baixo da porta do banheiro está apagada. Espero ouvi-lo ressonar.

Depois, desço a escada pé ante pé, abro com cuidado a porta da frente e sigo para a noite.

21
QUEBRADA

✦

Não sei para onde ir, então começo andando pela rua que Cody e eu tomamos até a rodoviária ontem de manhã e por onde Heather dirigiu para chegar ao supermercado e ao shopping. Pelo que sei, é o único caminho para o centro da cidade. Wells Creek está completamente fechada, a não ser por uma lanchonete no fim da rua principal. Não comi muito no jantar e só agora percebo minha fome, então entro.

O lugar está praticamente deserto, apenas alguns clientes bebem café em um balcão. Uma mulher de avental azul me vê entrar e se aproxima, arrastando os pés.

– Ora essa, se você não é uma coisinha linda – diz ela. Sem dúvida, em volume suficiente para que todos os clientes ouçam, porque eles olham para confirmar a avaliação.

Abro um sorriso rápido e baixo a cabeça, repreendendo-me por não ter apanhado o boné de Scott quando saí.

– Sozinha? – pergunta ela, olhando atrás de mim.

Concordo com a cabeça.

– Sim.

– Balcão ou mesa?

Dou outra espiada nas pessoas do balcão. Todas ainda me olham de cima a baixo. O homem mais próximo de nós faz um trabalho mais meticuloso do que os outros.

– Mesa – decido.

Ela assente, pega um cardápio e gesticula para que eu a acompanhe. Obedeço. Mas, só quando chegamos à mesa designada a mim, no fundo da lanchonete, percebo o homem sentado na outra ponta do balcão.

Alto.

Cabelo ruivo.

Barba da mesma cor.

É o homem que vi no ônibus ontem em Los Angeles e de novo perto da casa de Heather e Scott quando voltávamos do restaurante. Seu rosto está enterrado no jornal. Ele ergue os olhos por um momento e me abre um meio-sorriso. Todo o meu corpo fica petrificado e penso em fugir de novo. Talvez eu deva sair desta cidade o mais rápido possível e só parar para comer depois.

Mas ele volta à sua leitura, aparentemente sem se preocupar comigo, e lembro a mim mesma para deixar de ser tão paranoica. Ele deve ser um morador inofensivo.

Que por acaso estava em Los Angeles ontem.

Não significa necessariamente alguma coisa.

Ou talvez eu o esteja simplesmente confundindo com outra pessoa.

Escolho o lado da mesa com a melhor vista do balcão, para ficar de olho nele – só por precaução – e me sento. A mulher coloca o cardápio na minha frente e passo os olhos por ele.

– Um sanduíche de queijo quente, por favor – digo enquanto ela está prestes a se afastar.

Ela sorri, assente e recolhe o cardápio.

– Pode deixar.

Então espero. Descanso o queixo na palma da mão e olho pela janela. Não há muita coisa para ver além do estacionamento escuro. Penso em meu destino. Não tenho planos. A não ser entender quem sou. Mas não sei por onde começar.

Suponho que deva voltar a Los Angeles. Talvez falar de novo com Brittany. Ou ver se encontro alguém que possa me contar mais sobre o medalhão.

Ele parece pesado em minha clavícula. Levanto a mão e o toco, passando a ponta dos dedos pelo curioso símbolo em relevo. O nó infinito.

"Fui eu que dei o medalhão a você..."

Pisco e me viro da janela, preferindo me concentrar no tampo da mesa. Se quiser ter alguma chance de entender quem sou, preciso recomeçar.

Preciso me livrar de qualquer pista ou informação que tenha partido daquele garoto.

Preciso entender isso sozinha.

– Sabe de uma coisa – escuto uma voz masculina e grave, interrompendo meus pensamentos. Ao levantar a cabeça, espero ver o ruivo dirigindo-se a mim, mas seu rosto ainda está enterrado no jornal. Em vez disso, é o homem que estava na frente do restaurante, aquele que demonstrou maior interesse em mim quando entrei.

Ele saiu do seu lugar e agora está se dirigindo a mim.

Não sei o que fazer, nem para onde olhar, então simplesmente finjo que não ouvi. Porém, quanto mais perto ele chega, mais difícil é continuar ignorando.

– É... – diz ele num tom quase ameaçador. – Eu te conheço. É difícil esquecer esses olhos roxos. Nunca vi olhos dessa cor. Só pode ser lente de contato, né?

Balanço a cabeça levemente. Não sei o que é lente de contato, mas não quero que ele saiba disso.

– Nem vem me dizer que são verdadeiros! – diz ele com um resfolegar alto. – Deus não faz olhos dessa cor. Não é natural.

Ele desliza para a cadeira de frente para mim e sinto todo o meu corpo enrijecer de novo. Também percebo que o ruivo ergue os olhos do jornal e nos observa com curiosidade.

– Você é aquela garota que tiraram do mar – continua o homem. Ele tem o corpo largo e volumoso e o cabelo castanho-claro só cobre metade da cabeça. O resto é pele.

– Aquela que sobreviveu ao acidente de avião – continua ele. – Uma celebridade. Não temos muito disso por aqui. Você não se lembra de nada mesmo, né?

Seguro a beira de minha cadeira e balanço a cabeça em negativa.

– Que pena. – Ele faz um estalo com a língua e tamborila os dedos na mesa. Suas mãos são grandes, rudes e cobertas de calos disformes.

– O que você tá fazendo justo aqui em Wells Creek? – pergunta ele.

Continuo em silêncio. De jeito nenhum vou lhe contar o verdadeiro motivo da minha presença. A última coisa que quero é chamar atenção para os Carlson.

– Qual é o problema? – insiste ele. – Também esqueceu como se fala? – Ele ri. É uma gargalhada horrível que provoca tremores por meus braços e minhas pernas.

– Deixe a menina em paz – vem outra voz. *Desta vez* é do ruivo. Seu jornal foi dobrado e colocado no balcão e ele se levantou da cadeira. Vem em nossa direção e para, altivo, na frente da mesa. – É evidente que ela não quer ser incomodada.

O careca lança as mãos para cima.

– Ôa! – exclama ele numa voz áspera. – Não sabia que seu *papai* também estava aqui. – A gargalhada recomeça e os músculos das minhas pernas enrijecem, como molas contraídas. Sinto todo o corpo se preparar para saltar. Quase como se nem fosse minha decisão. A reação é automática.

Exatamente como aconteceu no carro – sinto o impulso súbito e irreprimível de correr.

Olho a janela à minha esquerda, pensando em atravessá-la. Qualquer coisa que me tire deste lugar. Desta cadeira. Para longe *dele*.

O ruivo me lança um olhar. Um olhar que só posso interpretar como "Não se preocupe. Você está segura". Mas só quando vejo o careca se levantar da cadeira é que os músculos das minhas pernas começam a relaxar.

— Desculpe-me pelo incômodo, mocinha — diz ele naquele mesmo tom sarcástico que Cody sempre usa. Ele volta lentamente à sua cadeira, do outro lado da lanchonete. Vejo que se senta e pega o celular no bolso. — Os rapazes da serraria vão se cagar nas calças quando souberem disso.

O ruivo volta a se sentar em seu lugar ao balcão sem olhar mais para mim.

Foi um erro vir aqui. Agora percebo isso.

Preciso ir.

Começo a me levantar, mas a mulher do avental se aproxima com meu queijo quente em um prato de plástico amarelo. Ela o coloca na mesa e o cheiro põe minhas papilas gustativas em frenesi.

Volto a me sentar e devoro a coisa toda em questão de segundos. É tão delicioso quanto aquele preparado por Heather. Talvez até mais. Concluo que, independentemente de quem fosse antes de perder a memória, sem dúvida eu gostava de queijo quente.

E me pergunto se essa é uma pista útil.

Pego um guardanapo no dispenser de metal na mesa e limpo a boca apressadamente. Depois o amasso, jogo no prato vazio e corro para a saída.

— Peraí um minuto! — chama a mulher, detendo-me. — Você pode ser a coisinha mais linda que já entrou aqui, mas isso não quer dizer que não precise pagar, como todo mundo.

Pagar?

Lembranças nítidas surgem de súbito em minha mente. Cody entregando um maço de notas ao homem da rodoviária em troca de nossas passagens. Heather passando o cartão de crédito no supermercado e de novo no shopping. Scott jogando várias cédulas na mesa do restaurante.

Encaro a mulher em pânico.

Ela suspira e solta meu braço.

— Deixa eu adivinhar. Você não tem dinheiro nenhum, né?

— Eu... — começo a falar, mas minha mente voa. Como vou conseguir chegar a *qualquer lugar* sem pagar pelas coisas?

Ela geme.

— Não se preocupe. Eu pago a conta dela — diz uma voz masculina.

Nós duas olhamos e vemos o ruivo parado ao nosso lado. Ele tira do bolso algumas das mesmas cédulas verdes que Cody e o pai têm.

A mulher do avental dá de ombros e pega o dinheiro.

— Pouco importa quem paga, desde que paguem.

Ela aperta alguns botões na caixa registradora. Um *ding* soa pela lanchonete, seguido da batida da gaveta se fechando.

Perplexa, olho para a mulher e o homem, incapaz de entender inteiramente o que aconteceu agora. Só o que sei é que a mulher já voltou a servir café.

Encaro o ruivo.

— Obrigada.

Ele sustenta meu olhar e percebo seus lábios se curvando em um largo sorriso por baixo da barba rala. Seu sorriso me lembra o de Heather. É do tipo que chega aos olhos. Vejo-me sorrindo também.

Um solavanco de familiaridade corre por mim. É algo nos olhos dele. São tão...

Cansados.

— Você devia dormir um pouco — ouço a mim mesma dizer. Mas não tenho ideia de onde veio a observação. Minha boca simplesmente se abriu espontaneamente e as palavras saíram de qualquer jeito.

Abro um sorriso para encobrir meu constrangimento.
— Desculpe-me — digo rapidamente. — Eu não pretendia...
Mas o sorriso do homem não desaparece. Na realidade, só fica maior.
— Está tudo bem, Sera. Você tem razão. Eu *preciso mesmo* dormir um pouco.
— Bem — digo, sentindo-me pouco à vontade com todo o diálogo —, obrigada mais uma vez. — Viro-me e caminho para a saída, ansiosa para me afastar dali. Só quando já passei da porta e estou no meio do estacionamento é que a resposta dele enfim me alcança.
"*Está tudo bem, Sera.*"
Sera.
Foi exatamente assim que o garoto me chamou.
"*É abreviação de Seraphina.*"
De imediato giro o corpo e volto à lanchonete. Mas sou impedida por uma luz forte que se acende sobre meu ombro esquerdo. Rapidamente é seguida por outra. E mais uma.
— Violet! Violet! — grita alguém. — Aqui!
Lentamente viro-me para avaliar os danos. São apenas algumas pessoas da imprensa, mas outros chegarão a qualquer segundo. Um furgão branco, com 9 NEWS na lateral, para com um guincho e um homem com uma câmera presa ao ombro salta e corre na minha direção.
— Já recuperou parte de sua memória? — pergunta um repórter. — Está satisfeita com a investigação conduzida pela companhia aérea?
— Você pretende entrar com um processo?
Acendem uma luz gigantesca, instalada em um poste grande, iluminando todo o estacionamento e me ofuscando.
Pisco, protegendo os olhos até desaparecerem as estrelas brancas e mínimas da minha visão.
Procuro uma rota de fuga.

A muralha da imprensa cresce diante de mim e há uma densa floresta à minha esquerda. Minha melhor opção é ir para a direita e voltar à rua principal. Viro-me e me preparo para correr, mas paro repentinamente quando sinto um estranho formigamento por dentro do punho esquerdo. A pele pulsa e é quente ao toque. Exatamente como aconteceu no supermercado, quando por acaso passei a tatuagem na frente do scanner.

"*Não é uma tatuagem*", ouço a voz do garoto. "*É um dispositivo de localização.*"

Quando levanto a cabeça, vejo um homem musculoso e grande na calçada diante de mim. Suas feições são envelhecidas e desgastadas. Como o bilhete amarelado no fundo do meu cesto de lixo. Está vestido inteiramente de preto – suéter preto, calça preta e larga metida para dentro de botas de couro pretas, altas e com cadarços. Ele quase se mistura completamente na noite. Seu cabelo é muito curto, uma camada de penugem preta. Uma cicatriz sinistra desce por todo o lado esquerdo do rosto, começando na testa, atravessando um olho e escorrendo pela bochecha. Vê-la me provoca um arrepio na coluna.

Os olhos escuros e rasos vagam da minha cabeça até meus pés. Avaliando. Calculando.

Meu punho formiga outra vez, e um pequeno aparelho na mão do homem solta um bipe baixo. Ele desce os olhos brevemente antes de se voltar para mim, e vejo o tecido rosa escuro e desfigurado de sua cicatriz se contorcer quando os lábios se abrem em um sorriso de triunfo.

22
ESCURIDÃO

❖

Ouço uma voz. Ela me diz para correr. Na verdade, ela grita para que eu corra. Não espero para saber de quem é. Apenas obedeço.

Com o enxame de gente se acumulando à minha esquerda e o homem à frente, giro 180 graus e disparo para as árvores. Minhas pernas se deslocam mais rápido do que já as senti. Estão em júbilo. Como se fossem feitas para isso. Como se alguém as libertasse de toda uma vida de cativeiro.

Abaixo-me e avanço facilmente pelas árvores. Meu corpo sabe onde elas estão antes mesmo de minha mente.

Ouço os passos atrás de mim. Não preciso me virar para saber quem me segue. Posso senti-lo. Mas os passos dele parecem cada vez mais fracos a cada segundo. Como se ele lutasse para me acompanhar.

Não sinto cansaço, mas sei que não posso correr para sempre. Preciso fazer alguma coisa.

Vejo uma clareira à frente. A mais ou menos um quilômetro e meio. A floresta é interrompida pela estrada. Ouço o ronco suave dos motores de carros que passam. Baixo a cabeça e tento ganhar velocidade.

O vento chicoteia meu rosto. Galhos arranham os braços. Folhas secas crepitam sob meus pés.

Menos de dois minutos depois, alcanço a estrada. É mais larga do que a rua por onde andei até a lanchonete. Creio que é o que Heather chama de rodovia. Meu corpo me impele a continuar, mas a mente me diz para parar e avaliar o trânsito por um momento. No fim, meu corpo vence e sigo em frente. Meus pés batem no concreto, justamente quando aparece uma carreta gigantesca no alto do morro à minha direita. Corro na frente dela, desejando ter uma velocidade ainda maior. A frente do caminhão erra meu corpo por dois centímetros. Sinto o silvo de ar nas costas enquanto ele passa roçando por mim.

O motorista reage a meu borrão. Pisa no freio. Há um guincho horrível enquanto as rodas param. Deixo de correr e me viro a tempo de ver toda a área de carga do caminhão tomar impulso para fora da estrada. O torque é demasiado para o veículo. Ele vira de lado e continua a derrapar, voam faíscas do calçamento, e finalmente o caminhão para atravessado na rodovia de mão dupla.

Outro carro se aproxima pelo outro lado, mas não consegue frear a tempo. Choca-se de frente com a plataforma do caminhão. Os motoristas conseguem sair antes de os dois veículos explodirem. E logo outros três carros têm que dar guinadas em volta dos destroços.

Subo o pequeno morro e paro petrificada, vendo o alcance do acidente. É horrível.

Ah, não. Por favor, que isso seja outro sonho.

Por favor, me deixe acordar.

Mas não acordo. Porque já estou acordada. É real.

Aquela sensação de culpa começa a borbulhar no estômago. É muito mais forte do que da última vez, quando só o que fiz foi escapulir de casa às cinco da madrugada. A sensação azeda sobe, queimando minha garganta até que não consigo segurar. Vomito e me curvo. Um líquido ácido derrama da minha boca no chão tomado de mato.

Tem gosto de queijo quente.

Depois que acaba, levanto a cabeça rapidamente e volto a passar os olhos pelo horizonte. Vejo meu perseguidor surgir da floresta do outro lado da rodovia. Ele para abruptamente ao deparar com o acidente e perde algum tempo avaliando os danos.

A tatuagem em meu punho volta a formigar. Um leve zunido.

Olho para ela, depois para o homem. Seus olhos lentamente começam a subir – por cima dos destroços, ascendendo o morro – até que caem em mim. E, mesmo dessa enorme distância, mesmo à luz da lua, nossos olhos se encontram.

Vejo seus olhos cinza e assustadores se estreitarem muito ligeiramente enquanto ele se fixa no alvo.

Eu.

Ele começa a correr de novo, contornando os destroços. Por um momento desaparece na fumaça, surgindo uma fração de segundo depois do outro lado. Vejo que se detém para tossir e logo investe outra vez, subindo o morro e correndo na minha direção.

Solto um gemido baixo e parto.

Não consigo entender nada do que está acontecendo. Minha velocidade. Minha destreza.

Nada disso é normal. Com ou sem amnésia, *disso* eu sei.

Chego a um campo largo. Pela escuridão, consigo enxergar uma estrutura do outro lado. Se conseguir chegar lá, talvez possa me esconder. Pelo menos por tempo suficiente para organizar os pensamentos.

Deixo que minhas pernas me carreguem o mais rápido que podem. O campo escuro passa em um borrão vertiginoso. Chego à construção, que agora vejo ser um estábulo abandonado que parece ter sido parcialmente incendiado. Entro, ignorando o odor pungente de animais mortos.

Metade do teto sumiu. Restam apenas algumas vigas carbonizadas. Há vários instrumentos de metal enferrujado quebrados, espalhados pelo espaço úmido e grande. Ando devagar, pisando com cuidado o chão irregular enquanto meus olhos procuram por um lugar onde me esconder.

Ouço um *estalo*.

Fico petrificada, prendendo a respiração. Viro-me para a porta, mas não vejo nada.

Minha adrenalina está bombeando, mas me sinto calma, o que me alarma. Só preciso pensar em meu próximo movimento. Só preciso...

Uma figura escura despenca do buraco grande no teto destruído. Cai no chão, habilidosamente, de pé. O homem também está todo vestido de preto. Embora tenha a mesma constituição parruda do outro, sua pele é mais escura. Áspera. Como as paredes deste estábulo dilapidado. Ele não tem uma cicatriz horripilante descendo pela face, mas nem por isso é menos apavorante.

Eu devia saber, penso, enquanto ele arremete para mim. *Eles são mais de um.*

Quero lutar com ele. Quero resistir e me proteger. Sinto o impulso de atacar com braços e pernas e me jogar em cima dele, mas algo me impede de agir. Como se existisse uma força estranha incrustada dentro de mim. Qualquer que seja a diretriz que meu cérebro tenta dar ao corpo, ele só quer fugir.

Mas nem mesmo tenho a oportunidade de fazer isso.

Assim que me viro para correr, um braço grosso se fecha em meu pescoço, apertando a garganta. Luto, mas não parece fazer diferença nenhuma. Pelo canto do olho, vejo alguém entrar no estábulo, andando na nossa direção.

— Bom trabalho — diz ele em voz baixa, com um gesto de cabeça ríspido para o homem atrás de mim, cujo braço parece um laço de forca.

Consigo girar a cabeça o suficiente para identificar o recém-chegado. E, quando o faço, meu estômago se revira.

É o ruivo. Aquele da lanchonete. Que tão gentilmente pagou meu sanduíche.

Abro a boca para gritar, mas não sai nenhum ruído. Algo bate em minha nuca. Frio e liso, como metal. Ouço um chiado baixo. Meu corpo se dobra e tudo escurece.

23
HUMANIDADE

❖

Desperto com um tinido de metal. Estou sentada com as costas retas em uma cadeira. Sinto-me sonolenta. Como naquela manhã no hospital depois de Kiyana me dar os remédios para dormir. Minhas pálpebras pesam, mas enfim consigo abri-las.

Tem alguém ajoelhado a meus pés. Sinto aço frio roçando a pele de meus tornozelos e punhos. Tento me mexer, mas meu pé esquerdo está preso a alguma coisa – talvez à cadeira? – e minhas mãos estão atadas.

Estou muito cansada e confusa para lutar. Além disso, tenho a sensação de que não vale a pena. Não irei a lugar algum.

O homem ao meu lado levanta-se e vejo que é o ruivo.

Agora eu luto. Pressiono violentamente minhas amarras de metal. Mas fico surpresa ao sentir a perna direita livre. Ela balança tão alto como resultado de meu esforço que por pouco não lhe dou um pontapé na cara. Ele se abaixa e solta um riso irônico antes de passar a meu lado esquerdo e se ajoelhar mais uma vez.

– O que está fazendo?

– Tirando isto – diz ele despreocupadamente.

Olho para baixo e vejo uma grossa algema de metal jogada no chão ao lado do meu pé.

– Mas... – Passo os olhos pela sala, procurando sinais do meu agressor. Ou melhor, dos *agressores*.

Vejo os dois corpulentos jogados no chão do outro lado do estábulo.

– Ele estão... – engulo em seco – ... mortos?

– Não – responde o ruivo ao soltar o segundo grilhão. Rodo o tornozelo esquerdo. – Só desativados.

Ele levanta uma pequena engenhoca preta e cilíndrica, de cuja ponta se projeta um espeto prateado.

– Igual ao que usaram em você, na verdade.

– Desativados – repito, observando em silêncio a escolha peculiar da palavra.

O ruivo se levanta.

– O cérebro humano é uma coisa complexa. Aprendemos muito sobre ele nos últimos cem anos. Principalmente a manipulá-lo. – Ele segura o dispositivo entre o polegar e o indicador e o brande para mim. – Chama-se Modificador. Veja bem, o cérebro funciona com eletricidade. Um Modificador lança correntes elétricas ao centro do sistema nervoso, essencialmente colocando o cérebro em modo de sono. – Ele aponta com a cabeça os corpos inconscientes no chão. Um deles está deitado de lado, uma perna torcida pela outra, o braço esquerdo jogado, perpendicular ao tronco. – Eles estarão despertos e novos em folha em menos de meia hora. Nem mesmo saberão o que aconteceu.

– Mas por quê? – pergunto. – Pensei... Quer dizer, você não está com eles?

Ele abana a cabeça, devolvendo ao bolso o estranho embaralhador cerebral.

– Sim e não. É... complicado. Acho que posso dizer que estamos aqui pelo mesmo motivo.

– E que motivo é esse?

Ele ri como se a pergunta fosse ridícula.

— Você, naturalmente.

Embora essa seja a exata resposta que eu esperava, ainda me vejo desejando que ele tivesse falado outra coisa. *Qualquer* outra coisa.

Olho de relance os corpos, concentrando-me no homem de pele mais escura. O que pulou do buraco no teto e me agarrou.

— Eu quis lutar com ele — falei pensativamente, quase para mim mesma. — Quis de verdade. Mas não consegui. Parecia que... eu não sabia como ou... eu não me permitiria.

Ele suspira.

— Infelizmente, isso é minha culpa.

Eu pisco.

— *Sua* culpa?

— Seu DNA é marcado com o instinto de fuga. E não de luta.

Estreito os olhos para ele.

— O quê?

— Eu queria lhe dar as duas coisas, assim você pelo menos podia se defender, mas meu pedido foi negado. Acreditava-se que, se você tivesse qualquer impulso de luta, em vista de sua força, poderia causar problemas no futuro, se chegasse a... — ele ri — ... se rebelar.

Olho fixamente, em completa incredulidade, sem conseguir processar o que ele diz.

— Então — continua, aparentemente sem perceber minha reação —, eu decidi, para sua própria proteção, lhe dar pelo menos o instinto de fuga. Assim você poderia escapar com segurança de qualquer perigo. Por isso você provavelmente sente um desejo muito forte de fugir no momento em que encontra o que julga ser uma ameaça.

A fala não me vem com facilidade. Minha língua parece grande demais para a boca, mas, enfim, em uma voz quase inaudível, consigo perguntar:

— Quem é você?

Ele baixa a cabeça, parece quase envergonhado. Depois respira fundo.

— Sou a pessoa que fez de você o que você é.

O que eu sou.

Não *quem* eu sou.

A disparidade amarga entre essas palavras curtas e simples me faz tremer.

— E *o que* exatamente eu sou? — De imediato tenho um flashback da conversa que ouvi entre Heather e Scott antes de sair.

"Parece que ela é... parece um... um robô."

— Eu sou humana? — acrescento, as palavras mal conseguindo escapar pela traqueia em rápida contração.

Ele suspira como se essa pergunta, de todas no mundo, fosse a que mais temesse.

— A resposta curta é sim.

— A resposta curta? — repito, em dúvida.

Ele se curva e solta minhas mãos, depois se recosta em um dos instrumentos de metal enferrujado que não parecem ser tocados há anos.

— Veja bem — diz ele com relutância —, essa não é uma pergunta simples, como você talvez imagine.

Franzo a testa e balanço a cabeça.

— Não entendo. Para mim, parece uma pergunta bem simples.

— Deixe-me perguntar uma coisa — começa ele pensativo, cruzando os braços. — Se um ser humano... um homem... perdesse o braço ou a perna em um acidente e recebesse uma prótese... um membro artificial... ele ainda seria humano?

Passo a mão direita no punho esquerdo. As algemas deixaram uma marca avermelhada que rapidamente começa a desbotar em volta da tatuagem.

— Sim, é claro.

Ele assente.

— E se ele perdesse todos os membros e tivesse *quatro* próteses... dois braços e duas pernas... ainda assim seria humano?

Dou de ombros.

— Sim.

Ele torce a boca, fazendo a barba vermelha ondular.

— Muito bem. Agora ele fica cego. E seus olhos são substituídos por câmeras pequenas que enviam sinais ao cérebro, dizendo-lhe o que estão vendo. Ele é humano?

Concordo com a cabeça, hesitante, mas não respondo.

— E ele precisa de um transplante cardíaco. Assim, os médicos lhe dão um coração artificial. É fabricado em laboratório, mas funciona como um coração orgânico. E então, ele ainda é humano?

Remexo-me inquieta na cadeira, sem gostar do rumo que isso está tomando.

— Acho que sim.

— Depois seu cérebro entra em colapso, mas os médicos conseguem descarregar e fazer uma cópia em computador de *todas* as lembranças e experiências dele. Fazem para ele um cérebro sintético que funcionará exatamente como o antigo.

— Você está falando de mim? — Minha voz é trêmula e meus olhos se enchem de lágrimas. — Está dizendo que tenho um cérebro e um coração sintéticos, câmeras no lugar dos olhos e braços e pernas protéticos?

— Shhh. — Ele se afasta do instrumento e corre em minha direção. Ajoelha-se novamente a meus pés, olhando-me. E mais uma vez não consigo deixar de notar a gentileza em seus olhos. — Não, Sera. Simplesmente estou lhe dando um exemplo muito radical para lhe mostrar como a pergunta é complicada.

Sinto todo o meu corpo murchar de alívio.

— O que nos faz humanos? — pergunta ele. — É nosso coração? Nosso cérebro? Nossos sentidos? Nossos membros? Pergunte a cem pessoas e terá cem respostas diferentes.

Olho minhas pernas, lembrando-me da velocidade com que me carregaram pelas árvores. Tão depressa que meu perseguidor não conseguiu me acompanhar.

— O que você está dizendo? — pergunto com a voz rouca. — Como isso se aplica a mim?

— Sera — começa ele com gentileza. — Você é muito especial. Diferente de todos. Minha maior criação de todos os tempos.

— Criação? — repito. Meus lábios parecem dormentes enquanto as palavras tropeçam para fora deles. — O que você fez comigo?

Ele segura uma de minhas mãos, passando o polegar áspero pela pele.

— Eu a tornei perfeita.

Minha boca fica seca. Tento engolir, mas isso me dá ânsia de vômito. Procuro falar, mas as palavras não tomam forma. Deve ser melhor assim. Não sei mesmo o que eu diria.

— Você é o primeiro ser humano da história do mundo a ser criado inteiramente pela ciência. A sequência genética mais impecável que já existiu. Tudo que nossa espécie deseja... beleza, força, inteligência, resistência a doenças... foi projetado em você.

As palavras dele me assombram, fazendo tremer meus lábios e os dedos. Balanço a cabeça, desejando poder gritar a ele que pare de falar, mas não consigo. Então, ele continua.

— Os pesquisadores já trabalham há anos na ciência da biologia sintética. É a criação da vida a partir do zero. Sintetizar num laboratório o que a Mãe Natureza vem fazendo em seu quintal há eras, e depois melhorar. Mas ninguém jamais avançou além de alguns organismos unicelulares. Isto é, até nós. Até... *você*. Você é única em sua espécie. Um milagre científico.

A fúria cresce em meu peito. Não quero ser um milagre científico. Não quero nada disso.

É a cólera que enfim ressuscita minha voz. Abro a boca para expressar minhas mágoas em voz alta, mas não tenho oportunidade.

Uma voz estrondosa ecoa da entrada do estábulo, assustando a nós dois.

— FIQUE LONGE DELA!

Viro-me e vejo Zen andando lentamente para nós, com forte determinação nos passos. Os braços estão estendidos e aninhado em seus dedos está um dispositivo que nunca vi. Tem um cano redondo com ranhuras no meio e parece ter sido feito de algum metal preto, na forma de um L invertido...

O ruivo se levanta rapidamente.

— Lyzender — declara ele calmamente, como se esperasse esse encontro.

Zen continua a se aproximar, lançando um olhar curioso para os homens inconscientes no chão enquanto mantém o dispositivo apontado firmemente para o ruivo.

— Fique longe dela, Rio.

Olho de um para outro, confusa com o diálogo.

— Vocês se conhecem?

Os dois me ignoram.

— Isso não é necessário — diz o homem que Zen chamou de Rio. — Pode baixar a pistola. Estamos do mesmo lado.

— Estamos coisa nenhuma! — grita Zen. Ele se aproxima um passo do homem e mete o objeto preto na cara dele.

Pistola.

Pistola.

Procuro em meu cérebro uma definição, mas não encontro nada.

— O que é isso? — pergunto, levantando e indo até Zen, meus olhos no objeto em sua mão.

— Sera, cuidado! — alerta o ruivo, tentando me segurar. Mas Zen o obriga a recuar com outra arma qualquer que ele tem na mão.

Sigo petrificada.

— O que é isso? — volto a perguntar.

— É uma pistola — explica o homem identificado como Rio. — É uma arma que pode ser usada para matar ou ferir gravemente uma pessoa.

— Ah! — exclama Zen, revirando os olhos. — Então de repente você está disposto a ensinar coisas a ela. — Ouço o sarcasmo em sua língua. É amargurado. Agora entendo a definição.

— Eu ensinei tudo o que ela sabe — argumenta Rio.

Zen balança a arma.

— Não! Eu é que ensinei tudo o que ela sabe. *Você* estragou a vida dela.

Rio ergue as mãos num gesto de rendição.

— Entendo por que você veria as coisas desse jeito, Lyzender, mas posso lhe garantir...

— Cale a boca! — grita Zen, transferindo a arma para a outra mão e acenando para mim. — Sera, vamos sair daqui. Por que não espera do lado de fora enquanto eu cuido *dele*? — Zen pronuncia a palavra com certa repulsa.

Olho de um para outro de novo, começando a entender a gravidade da situação.

— Não.

— Sera — diz Zen, perdendo a paciência. — Isso não é hora de você discutir comigo. Por favor, vá para fora.

— Não acho que você deva machucá-lo — digo. Não tenho nada que fundamente meu pedido, só uma sensação incômoda no peito.

Zen fecha os olhos por um momento breve.

— Sera, você perdeu toda a sua memória. Não sabe o que eu sei. Ele é mau. E egoísta. No fundo, não leva em conta seus interesses. Só os dele próprio. – Ele suspira. – Sera, ele não ama você.

Ama?

A palavra se apodera do meu cérebro e parece não querer sair.

– Ele me soltou – ouço a mim mesma argumentando.

– Porque ele quer levar você de volta para lá! – retruca Zen apaixonadamente. – E continuar a destruir sua vida.

– É aí que você se engana, Lyzender – intromete-se Rio. – Eu só quero...

Zen dá outro passo na direção de Rio, a arma agora a apenas centímetros de sua cabeça.

– Eu disse para CALAR A BOCA! – grita. – Não tente confundi-la de novo. Não vai mais dar certo.

– Parem! – grito, desesperada, colocando as mãos na cabeça. – Por favor. Preciso pensar.

Zen se cala e os dois me olham. Massageio as têmporas doloridas com a ponta dos dedos. É informação demais para absorver de uma só vez. Não consigo processar tudo. Não sei como entender isso. Preciso ordenar uma coisa de cada vez.

– Como vocês se conhecem? – É assim que começo.

– Minha mãe trabalha com ele – diz Zen, o desdém pingando de sua voz.

– E onde você trabalha? – pergunto a Rio, mas é Zen quem responde:

– Em uma corporação maligna que não tem respeito nenhum pela vida humana. Algo que só percebi quando já era tarde demais.

Diotech.

Rio fecha a boca e empina o queixo.

– O que você faz para eles? – pergunto a Rio, porém, mais uma vez, é Zen que responde:

— Isto! — Zen gesticula para mim. — É isto o que ele faz! Ele brinca com a mente das pessoas. Manipula a realidade. Ele brinca de ser Deus. Transforma seres humanos em...

— Em o quê? — pergunto, fraca. — Em monstros como eu?

A expressão severa de Zen se abranda de imediato, e ele se aproxima de mim, com o cuidado de deixar a arma apontada para Rio.

— Não. — Ele usa a mão livre para tocar meu rosto. — Não foi o que eu quis dizer. Nunca pensei em você dessa maneira.

— Então, o que você quis dizer?

— Eu não... — Zen se esforça para encontrar a coisa certa a dizer. — Eu... só quis dizer que você não pode voltar para lá com eles. Não vou deixar. Porque ninguém sabe o que farão com você.

Rio está misteriosamente silencioso. Suponho que ou está escondendo algo, ou desistiu de tentar argumentar com Zen e sua arma.

Ou está aquiescendo em silêncio.

Vou até ele, perto o bastante para sentir sua respiração tensa em meu rosto.

— Sera — Zen me alerta. Levanto a mão para que ele se cale.

Olho bem fundo nos olhos caídos e cansados do ruivo. Desbotaram para uma cor cinza esverdeada com pontinhos castanhos. Ele sustenta meu olhar. Com tenacidade.

Por mais que me esforce, não consigo encontrar maldade nenhuma ali.

Na verdade, só vejo o contrário. Vejo o que Heather vê em Cody. O que Kiyana via em mim.

Será possível fingir uma coisa dessas?

Bem que eu gostaria de saber.

— É verdade? — desafio Rio. — Essas coisas que ele disse a seu respeito?

— Sera. — Ouço Zen gemer atrás de mim. — Eu não mentiria para você. Eu não sou ele.

— É *verdade*? — pressiono, ignorando Zen.

As pálpebras inchadas de Rio se fecham devagar.

— É verdade — sussurra ele.

Rompo o contato com seus olhos e me viro para Zen, que parece genuinamente surpreso com a confissão de Rio.

— Irei com você — prometo a Zen. — Mas apenas se você não o machucar.

O gênio do garoto se inflama novamente.

— Sera, você não entende. Isso não vai parar. Eles vão continuar procurando por você. Esta pode ser a única chance de...

Levanto a mão em protesto mais uma vez e Zen se cala. Depois a estendo para ele, com a palma para cima. Com um suspiro, ele me entrega a arma. É mais pesada do que pensei.

— Tudo bem, vamos — digo.

Segurando com cuidado a arma, caminho em direção à porta em ruínas. Não olho para trás, para o ruivo que fica sozinho no meio do estábulo vazio. Não sei se tenho forças para isso.

24
FUGA

❖

Meus pés trituram as folhas secas e desbotadas ao pisarem o chão de terra da floresta. Não sei para onde vamos, mas deduzi que Zen não tem carro. Deve ser por isso que estamos a pé. Seu passo é consideravelmente mais lento do que agora sei que sou capaz, mas sua respiração pesada e difícil me diz que ele está na máxima velocidade. Também me diz que não devo tentar falar com ele, porque muito provavelmente ele não conseguirá responder antes de reduzirmos o ritmo.

A arma ainda é pesada e desajeitada em minha mão. Procuro colocá-la em um dos muitos bolsos da calça, mas ela é grande demais.

Enfim, depois de termos corrido por quinze minutos, Zen reduz e para.

Ele se curva para a frente e coloca as mãos nos joelhos, muito ofegante.

— Já deve dar — diz ele, arquejando.

— Deve dar o quê? — pergunto, minha própria respiração perfeitamente calma.

Ele precisa de um momento e algumas golfadas tensas de ar para responder, esfregando a testa molhada. Gosto do que a umidade faz com seus cabelos cacheados. E de como seus olhos refletem a luz da lua.

— Tenho que levar você para bem longe, para que eles não consigam escaneá-la — explica ele.

Olho a linha preta e fina no punho. Lembro-me de ver o homem da cicatriz na cara diante da lanchonete e sentir minha tatuagem chiar. É o que estava acontecendo? Ele estava me *escaneando*? Como um pacote de comida no supermercado?

— Como isso funciona? — pergunto.

— Do mesmo modo que um código de barras. A linha parece sólida, mas de perto é um desenho singular que os scanners deles podem reconhecer e rastrear.

— Está tatuado na minha pele?

Zen balança a cabeça.

— Na verdade, não. Isso nós aprendemos do pior jeito. Tentei remover uma vez, mas simplesmente voltou a crescer. Ficou idêntica. Ao que parece, este desenho está programado em seu DNA. Como o formato de seu nariz e a cor dos olhos. Assim, mesmo que alguém tente tirá-la cortando, a marca sempre volta a aparecer quando a pele se cura.

Toco a pele escurecida, passando o dedo de um lado a outro. Quero fazer mais perguntas, porém não sei se consigo lidar com isso agora. Assim, decido ficar com algo mais simples. Fácil.

— Para onde vamos?

Zen endireita as costas e olha para mim. O sorriso torto e encantador de que me lembro do supermercado e dos provadores não está em lugar nenhum. Agora, só o que vejo é uma expressão severa e olhos vazios.

— Vamos para um lugar seguro. Pelo menos por enquanto. Até que eu consiga resolver tudo.

Vejo seus olhos descerem do meu rosto para o colar, e ele sorri pela primeira vez. É um sorriso cansado.

— Você está usando de novo.

Apalpo o medalhão. Eu tinha colocado por baixo da blusa mais cedo, mas deve ter saltado dali enquanto eu corria. Mordo o lábio, sem saber o que dizer. Sem nem mesmo saber o que sentir.

– Gosto de vê-lo em você. – Ele se aproxima um passo, estendendo a mão. – Posso?

Não sei para que ele pede permissão, mas isso não importa. Vejo-me concordando com sua solicitação, seja qual for.

Enquanto ele estende a mão para o medalhão, a ponta de seus dedos roça de leve minha clavícula, provocando pequenos arrepios na pele. Tê-lo tão perto de mim faz coisas peculiares com meus pulmões. Há apenas um segundo atrás era Zen quem tinha dificuldades para respirar. Agora parece que sou eu que tenho falta de ar.

Ele manuseia cuidadosamente a porta minúscula e o coração pequeno se abre. Inesperadamente, sua testa se vinca e o sorriso vira uma carranca.

Olho para baixo.

– Qual é o problema?

– Está vazio.

– Eu sei – digo. – Estava vazio quando me encontraram.

Vejo a boca de Zen se contorcer de decepção.

– Então, deve ter caído em algum momento.

Puxo a corrente, tirando o medalhão de suas mãos para a minha.

– O que caiu? – pergunto, desesperada.

Com um suspiro tristonho, ele se vira e recomeça a andar.

– Uma pedrinha.

Perplexa, olho suas costas e corro para alcançá-lo.

– Uma pedrinha?

– Era para lembrar você do que é real.

– Por que eu precisaria ser lembrada do que é real?

Ele reduz a velocidade aos poucos e olha o chão.

— Porque nem tudo em sua vida era assim.

Vejo uma clareira à frente. Estamos quase de volta à rodovia. A cada segundo, passam outros faróis de carro, iluminando a estrada por um momento antes de devolvê-la à escuridão.

Mas ainda consigo enxergar tudo perfeitamente.

O que é uma infelicidade, porque noto fumaça subindo sobre as árvores alguns quilômetros à nossa esquerda e de pronto sei que é o local do acidente. Aquele que provoquei. A culpa perpassa por mim novamente e tenho que engolir outra onda de ácido na garganta.

— Por que eles estão atrás de mim? — pergunto, pensando no homem da cicatriz que me perseguiu até aqui.

Zen parte para a estrada e acena para que eu o acompanhe.

— Porque você fugiu. Bem... *nós* fugimos. Juntos.

— Porque somos almas gêmeas? — pergunto, a expressão desconhecida parecendo desajeitada em meus lábios.

Por mais que antes eu quisesse acreditar que tudo que ele me disse era mentira, depois do que aconteceu na última hora fica ainda mais difícil.

Zen ri. O som gera um lindo eco em meus ouvidos.

— Ora, sim. Teve *este* motivo. Mas, principalmente, porque entendemos o que eles estavam fazendo com você.

— E o que exatamente *estavam fazendo* comigo? Ainda não entendi isso direito.

O sorriso de Zen some quase de imediato.

— Nem eu.

— Mas você acabou de dizer...

Seu braço se estende na minha frente, trazendo-me a um impasse. Paramos na frente da rodovia. Há um intervalo no trânsito e Zen segura minha mão. Atravessamos juntos, correndo. O toque da pele dele na minha faz todo o meu corpo zumbir. Não quero que ele solte, mas ele o faz assim que chegamos do outro lado.

Parece que ele não percebe minha decepção quando seus dedos escapam dos meus. Ele apenas continua andando.

— Sei que você tem muitas perguntas — começa ele, ao partir para o lado norte da cidade. — Mas acho melhor que eu não as responda.

Meus pés ficam mais lentos até parar, e eu o olho com raiva.

— O quê? Por que não?

Ele também para e olha para mim.

— Porque, conhecendo você, sinceramente acho que você não vai acreditar em mim.

Sua resposta faz minha cabeça rodar. Como posso me lembrar de alguma coisa, se ele nem mesmo me diz o que aconteceu?

— Você sempre teve a tendência a confiar apenas no que vê, toca e define — continua ele. — Dados e números. Você depende deles.

Fico um pouco abalada com a precisão da descrição que ele faz.

— Por isso — continua —, acho melhor eu mostrar a você.

Mostrar?

Ele recomeça a andar e vou bem atrás dele, de volta à cidadezinha adormecida de Wells Creek. Atravessamos a rua principal deserta e subimos um morro. Noto a placa quando pegamos uma rua estreita: BRADBURY DRIVE. E o prédio em que por fim paramos tem o número 1952.

Bradbury Drive, 1952, sala 302.

Onde Zen me disse que estava morando. Onde me pediu para encontrá-lo quando me encurralou no provador.

Mas a parte que me confunde é a placa na frente que diz MARK TWAIN ELEMENTARY SCHOOL.

Por que Zen estaria morando numa escola?

Ele digita num pequeno teclado numérico na porta da frente e ela se abre. Acena para eu entrar, mas hesito.

— Sera — insiste Zen com gentileza. — Eu jamais deixaria que você corresse perigo. Estou fazendo o máximo para *afastar* você dele. — Ele sorri de leve. — Eu prometo.

Entro no prédio, passando por ele, e Zen deixa a porta se fechar atrás de nós. Ele me leva por dois lances de escada, seguindo o corredor até a sala 302.

A tranca foi quebrada. Arrombada. Ele mantém a porta aberta para mim, acende a luz e entramos. A sala está quente e meio sufocante, mas nem reparo. Fico distraída demais com as paredes. São completamente fascinantes. Brilhantes, coloridas e enfeitadas com centenas de fotografias, desenhos e mapas do mundo.

Tem prateleiras abarrotadas de livros e algumas mesas pequenas e redondas, cercadas de cadeiras de plástico azul. Cada letra do alfabeto é exibida em várias cores perto do teto.

— Que lugar é este? — pergunto, descrevendo um círculo lento, tentando absorver tudo.

— É a sala do jardim de infância.

— O que é um jardim de infância?

Ele dá uma risada.

— É o primeiro ano da escola. Quando as crianças começam sua educação. Em geral em torno dos cinco anos.

Abro um sorriso, logo sentindo uma afinidade peculiar com a sala. Afinal, parece que também estou partindo do começo.

— Desculpe se está quente demais aqui dentro — diz Zen, indo a uma mesa no meio da sala. — Eles não ligam o ar-condicionado no verão, porque a escola está fechada.

No chão, perto de seus pés, noto um colchonete fino com um travesseiro e um cobertor amarrotado.

— Você está... *morando* aqui? — pergunto.

— Temporariamente.

— Por quê?

— Precisava encontrar um local que fosse deserto. Assim eu podia ficar longe do radar. E a sala do jardim de infância parecia perfeita. Ninguém vem aqui no verão e tem cobertores e travesseiros para a hora do cochilo.

Reprimo o riso ao pensar em Zen dormindo com um travesseiro que pertence a uma criança de cinco anos.

— Eu quis dizer, por que você não mora em uma casa?

Vejo que ele retira um cubo mínimo e prateado do bolso da calça e o coloca cuidadosamente na mesa à sua frente. Ele é tão visivelmente delicado com o cubo que é de se pensar ser feito de um vidro frágil.

Aproximo-me de Zen, de olhos fixos no curioso objeto de aço. Por algum motivo, parece me chamar. Como a atração gravitacional de um planeta grande. Mesmo não sendo ele maior do que a unha do meu dedo.

— Não posso ir para casa — diz ele simplesmente enquanto aperta uma das laterais do dispositivo com o polegar. Em resposta, ele se acende, verde.

Esqueço-me completamente de nossa conversa anterior porque sou atraída cada vez mais para o magnetismo do misterioso objeto, admirada pelas minhas mãos, que tremem quanto mais perto chego dele.

— O que é isso? — pergunto, recusando-me a desviar os olhos do cubo nem por um segundo.

Zen acompanha meu olhar até que nós dois estamos fixados no cubo mínimo e radiante.

— Isto — diz ele, pegando e o segurando de modo protetor — é onde eu armazenei suas memórias.

25
CONECTADA

❖

A arma escorrega da minha mão e cai no chão com um ba-que alto. Zen ofega e se lança para frente.

— É preciso ter cuidado com isso! — Ele a pega e coloca na mesa ao lado do cubo reluzente.

— Minhas memórias? — Minha voz treme.

— Bem — ele se corrige —, não *todas* elas. Infelizmente, não consegui pegar todas. Mas há o suficiente para lhe dar uma ideia geral do que aconteceu. — Ele aponta o dispositivo. — Eu as armazenei neste disco rígido até conseguir convencê-la a vir aqui.

Sua explicação só me deixa ainda mais confusa.

— Mas como foi que você as pegou?

Ele dá de ombros.

— Eu roubei.

— De quem?

— Das pessoas que tiraram de *você*. — Ele examina a expressão assombrada no meu rosto e acrescenta rapidamente: — Mas, para ser justo, eles roubaram primeiro. Eu só... sabe como é, roubei de volta para você.

Minhas pernas ficam bambas e desmorono na cadeira mais próxima — uma das pequenas cadeiras de plástico azul obviamente projetadas para uma criança pequena. É uma longa descida e quase perco o equilíbrio.

Seguro minha cabeça entre as mãos.

— O que está havendo? — As palavras quase não ganham vida. Minha garganta faz o máximo para sufocá-las.

Zen corre até mim e se ajoelha a meus pés.

— Desculpe. Estou sendo insensível. Sei que isso é assustador e opressivo para você. Mas prometo que tudo será explicado em um minuto.

Ele se levanta e pega uma caixa de madeira pequena no outro bolso, abrindo a tampa. Estico o pescoço para olhar seu conteúdo e vejo que a caixa contém três discos de aparência muito estranha. Cada um deles tem cinco centímetros de diâmetro e é feito de alguma borracha transparente.

Ele retira o primeiro e se curva para mim, colocando o disco pouco atrás da minha orelha esquerda. O disco se fixa sozinho, praticamente se fundindo ao meu corpo.

— São receptores cognitivos — explica ele, retirando o segundo disco de borracha da caixa e em seguida o coloca atrás da minha orelha direita. — Farão a ligação do seu cérebro com este disco rígido, permitindo que você tenha acesso a tudo que há nele. — Ele dá uma pancadinha na caixa de aço mínima, cautelosamente, com a ponta do dedo. — É uma tecnologia desenvolvida no complexo da Diotech. Acho que chamam de Recognição.

— E como você sabe de tudo isso?

Ele dá de ombros e me abre um sorriso tímido.

— A verdade é que eu não sei. Quer dizer, não conheço a base científica por trás disso. Eu sabia da existência da tecnologia porque minha mãe fazia parte da equipe que a desenvolveu. E depois que voltei e roubei os arquivos de memória do complexo da Diotech e apaguei qualquer backup dos servidores deles, fiz um pequeno teste comigo, para saber se funcionava.

— Isso dói? — pergunto, temerosa.

– Não. É só um pouco... – ele se interrompe, torcendo os lábios, concentrado – estranho.

– Estranho – repito, o estômago roncando de nervosismo.

Ele pega o terceiro receptor e fecha a tampa da caixa, agora vazia. Depois vai até as minhas costas. Estico o pescoço, tentando vê-lo, esperando pelo que ele fará. Mas ele só fica parado ali, mexendo desajeitado no disco.

– Desculpe – diz ele, estendendo a mão, inseguro, para minha cabeça, depois rapidamente afastando. – Preciso, hmm, mexer em seu cabelo.

– Ah. – Repentinamente, sinto-me tão desajeitada quanto ele. – Tudo bem. Claro. Vai em frente.

Lentamente, ele estende o braço para mim e prendo a respiração. Não era essa minha intenção. O ar simplesmente se prende sozinho em meus pulmões. Sinto a ponta dos dedos dele roçando minha nuca exposta. Seu toque provoca arrepios e calor em minha pele. Com delicadeza, Zen pega meu cabelo em uma das mãos e o coloca por sobre meu ombro esquerdo, demorando-se um pouco para afastar alguns fios que não obedecem.

Todo o movimento é muito fluido – tão experiente – que me dá a certeza absoluta de que ele já fez isso. Esta não é a primeira vez que suas mãos tocam meu cabelo. E me vejo numa esperança silenciosa de que não seja a última.

– Tudo bem – diz Zen, dando um pigarro. Dou um salto e meus olhos se abrem. Não tinha percebido que estavam fechados. Ele volta a se colocar diante de mim.

– E então – digo, tentando disfarçar meu constrangimento. – Acabou?

Zen respira fundo e se senta numa cadeira vizinha.

– Sim. Agora você deve ser diretamente ligada ao disco.

Espero, imaginando quando deve acontecer alguma coisa. De certo modo espero que um raio atinja meu cérebro, mas, na realidade, nada muda. Minha mente está calma. E a sala mais uma vez caiu no silêncio.

— Não estou sentindo nada — digo.

Ele assente.

— Você não se sentiria diferente. Pense nisso como uma extensão do seu cérebro. Uma espécie de recipiente externo de armazenamento. Mas, para ter acesso às informações nele, as lembranças precisam ser estimuladas de algum modo.

— Tudo bem — digo, em dúvida. — E como fazemos isso?

— Há várias maneiras de estimular lembranças dormentes... Palavras-chaves, objetos, imagens... Mas o mais fácil é lhe fazer perguntas.

— Tudo bem — repito, sentindo uma confiança cada vez menor que isso de fato funcionará.

Ele passa as palmas das mãos na calça.

— Vamos começar pela sua casa. Me fale de sua sala de estar.

Franzo a testa.

— Como posso fazer isso? Não me lembro da minha casa. Não me lembro de nada da minha vida antes do...

— De que cor é o sofá? — interrompe ele.

— Bege — digo sem pensar. Todo o meu corpo se paralisa. Com exceção do coração, que está aos saltos. Aquele que agora posso sentir nos ouvidos.

O que acabou de acontecer?

— E onde fica a porta de entrada? — continua Zen.

A resposta vem com a mesma rapidez da anterior.

— Do outro lado da sala. Ao lado de uma luminária marrom comprida e de um cabideiro.

Não sei como estou fazendo isso. Não sei por que essas respostas me vêm com tanta facilidade. Nem mesmo sei se são as respostas *certas*.

Encaro Zen, com os olhos arregalados.

— O que está havendo?

Ele sorri, estimulando-me.

— Você está se lembrando.

— Estou?

Ele assente.

— Seu cérebro está tendo acesso à memória armazenada no disco.

Uma onda de euforia dispara por meu corpo, despertando-me, dando energia a meus sentidos.

— Faça isso de novo! — ordeno. — Faça mais perguntas!

Zen ri.

— Tudo bem, tudo bem. O que mais tem na sala?

Mordo o lábio, concentrada, e fecho os olhos, mas não me vem nada.

— Eu... Eu...

Zen se intromete:

— Desculpe, você deve precisar de algo mais específico. O que tem no canto, à direita da porta de entrada?

Um largo sorriso se abre em meus lábios. Sei o que é.

— É uma planta!

Duvido que alguém na história do mundo tenha ficado tão animado com uma planta, mas não me importa. Para mim, essa planta significa tudo. É uma parte de mim. Uma parte que pensei ter perdido para sempre.

E, subitamente, a sala começa a tomar forma. O que antes era uma tela em branco agora se transforma em uma tapeçaria colorida, objetos e móveis. Um por um, os itens se materializam do nada, preenchendo espaços vazios. Uma mesa. Outra luminária. Uma cadeira. Uma estante. Uma lareira.

É tão magnífico. E tão real! Consigo me lembrar praticamente com a clareza com que me lembro de meu quarto na casa de Heather e Scott.

— Esta é mesmo a minha casa? — pergunto a Zen.

— Ahã.

Nem consigo acreditar no que vejo — ou melhor, lembro. E pela primeira vez no que para mim parecia uma eternidade, começo a ter a inegável sensação de possuir alguma coisa.

Minha sala de estar.

Meu sofá bege.

Minha casa.

E tudo parece confortável. Seguro. Certo. Parece meu *lar*.

A sala continua a ser povoada de objetos decorativos conhecidos. Como se duas mãos invisíveis e mágicas decorassem habilidosamente minha memória. Castiçais de bronze aparecem no consolo da lareira e de imediato são preenchidos com velas verdes e compridas. Um tapete de um mosaico em cores vivas se desenrola pelo piso de madeira.

As paredes, antes de um simples branco, subitamente são cobertas de tinta gelo enquanto três molduras de madeira escura tomam forma acima do sofá. Dentro de cada uma delas, surge uma linda pintura a óleo, rapidamente elaborada por um artista invisível com um pincel oculto.

Cortinas vermelhas e opacas correm pela janela, bloqueando a luz do dia até que, enfim, a luminária do canto se acende, lançando um brilho cálido e tranquilizador sobre tudo e dando um toque final satisfatório a toda a imagem.

Mas, apesar de a sala parecer completa, estou ávida por mais. Tenho o desejo ardente de explorar o resto da casa. Pressionar os limites de minha memória recém-devolvida.

Noto os primórdios de um corredor estreito começando na sala e de imediato sou atraída para lá. Fecho bem os olhos e me concentro firme no caminho do piso de madeira, obrigando minha mente a andar por ele até que vejo...

Nada.

O mundo simplesmente para ali. E por mais que eu me esforce, por mais que me concentre, não consigo ver nada além disso. É como se o corredor se dissolvesse no vazio. O piso deixa de existir, as paredes desaparecem e, mais uma vez, estou cercada por aquele vazio incômodo que vem me assombrando desde que me tiraram do mar.

Remexo-me na cadeira e solto um gemido curto.

— Não consigo...

Tento explicar, a frustração crescendo.

— Não consigo ver mais nada. — Abro os olhos e me viro desesperada para Zen. — Não consigo me lembrar do que tem fora da sala! Por que não consigo me lembrar?

Zen coloca a mão tranquilizadora em meu braço, mas desta vez seu toque não me acalma em nada.

— Porque você só tem acesso ao que está no disco rígido. E infelizmente não consegui pegar a memória dos outros cômodos da casa. O que significa que você não conseguirá ver nada além da sala de estar.

Levanto as mãos e me coloco de pé com tal violência que a cadeirinha azul em que eu estava sentada voa para trás.

— Então é só isso? — choramingo. — Só isso que eu consigo? Um vislumbre rápido de uma sala idiota? De que isso pode me adiantar?

Espero que Zen estenda a mão e tente me reconfortar de novo, mas ele não faz isso. Na verdade, só o que faz é sorrir. Como se estivesse se divertindo muito com minha irritação.

— Que foi? — exijo saber, entredentes.

Ele balança a cabeça.

— Nada. Desculpe. É só que... — Sua voz falha.

— Só que o quê?

— É bom ver você de volta.

Minha testa se franze.

— De volta?

— É, sabe como é, a velha Seraphina. A rabugenta e impetuosa por quem me apaixonei. Vi um lampejo dela agora mesmo e... — Seu sorriso some rapidamente, substituído por uma expressão muito mais grave. – Bem, por um tempo tive medo de que ela tivesse ido embora para sempre.

Minha fúria de repente cede e baixo os olhos, sem ter nada de interessante para responder além de um "Ah".

– Mas não se preocupe – garante-me Zen, dando um tapinha no cubo de aço. – Essa não é a única lembrança aqui. Prometo que tem mais para ver. – Ele se levanta e pega a cadeira do outro lado da sala, onde caiu. – Volte a se sentar. Relaxe. Vou lhe mostrar minha lembrança preferida.

Com relutância, sento-me na cadeira novamente.

– E que lembrança seria essa? – pergunto, tentando parecer o mais aturdida possível na esperança de contrabalançar minha explosão anterior.

O sorriso torto está de volta. Aquele que faz com que eu sinta ser a única coisa no mundo digna de ser lembrada. Ele sustenta firmemente meu olhar ao falar.

– O dia em que eu conheci você.

26
REPRIMIDA

❖

— Feche os olhos — instrui Zen. — Volte à sala e me diga o que vê.

Obedeço, permitindo que minha mente seja transportada ao único cômodo que tenho. Concentro-me bem até que vejo tudo reaparecer diante de mim. O sofá bege. A mesa de centro. A luminária. Porém, desta vez, há algo novo na imagem.

— Um livro — digo ansiosamente. — Vejo um livro. E a mão de alguém. É... — A percepção me vem rapidamente. — É minha! É a minha mão. Estou segurando o livro. Acabei de ler o livro todo.

— Ótimo. — Zen me encoraja. — É isso mesmo. Você estava na sala de estar, lendo.

Agora vejo o livro com clareza diante de mim. *Uma dobra no tempo*, de Madeleine L'Engle. A capa está puída, descascando. Como se tivesse sido lido umas cem vezes. E abaixo dele estão minhas pernas, enroscadas no sofá, vestidas em uma calça de algodão cinza-escuro. É surpreendentemente parecida com aquela que eu vestia quando o barco de resgate me encontrou. Aquela que ainda está dobrada em uma gaveta na casa dos Carlson.

— Agora tente deixar que a memória guie você. No início, pode ser um pouco forçado, mas, quanto mais tempo você fizer isso, mais fácil ficará e começará a fluir com mais tranquilidade. E eu estarei aqui para ajudar, se você ficar empacada. Do que mais se lembra desse dia?

Mordo o lábio e me concentro, tentando verbalizar tudo que vejo e sinto.

— Eu estava ficando com fome — conto. — Ia almoçar. Mas então ouvi alguma coisa. Um arranhão. Vinha de fora.

Observo a cena se desenrolar em fragmentos breves e um tanto nebulosos. Vejo com meus próprios olhos. Como se estivesse acontecendo comigo naquele momento.

Levantando-me. Caminhando até a porta da frente. Estendendo a mão.
Mas sou impedida por um surto repentino de medo e rapidamente a retraio.

— Eu estava com medo — digo a Zen. — Alguma coisa me assustou.

— Sim — responde ele. — Você se lembra do que você tinha medo?

— Do lado de fora — digo com uma certeza assustadora. — Eu tinha medo de ir para fora.

— Por quê?

— Porque alguém me disse para não sair.

Quem?, pergunto-me de imediato. Fecho bem os olhos e aperto as têmporas com os dedos, tentando encontrar o rosto da pessoa. Tentando ouvir o aviso. Mas não consigo. A lembrança não está ali.

— Eu não devia sair quando não tem ninguém em casa — digo a Zen. Mas quase não reconheço minha própria voz. É monótona e sem vida. Minhas palavras saem como um cântico monocórdio. — Vai acontecer alguma coisa ruim se eu sair. Mas não sei o que é.

— Está tudo bem — diz Zen apressadamente. — Continue.

Respiro fundo e volto às memórias.

Minha mão se estende de novo. Meu dedo pressiona um scanner azul brilhante. A porta solta um bipe e eu a abro.

— Eu não dei ouvidos — lembro. — Saí mesmo assim.
Zen ri.
— Você nunca foi de obedecer às regras. Para grande decepção das pessoas que as fizeram.
Penso nos Carlson. Em como convenci Cody a escapulir de casa antes de eles acordarem. Como desapareci na noite sem lhes dizer que eu ia embora. Vi-me reconfortada ao saber que aparentemente algumas partes de mim jamais se perderam.
— O que você vê depois que sai? — pergunta Zen, sua indagação inspirando toda uma nova imagem a aparecer diante de mim.

Uma varanda branca contornando a casa, um gramado pequeno e bem cuidado com a grama recém-cortada e flores. O ar é quente e seco.

— Meu jardim — respondo.
— E depois dele?
Esforço-me para me lembrar do que havia depois do jardim. Mas não consigo ver grande coisa.

Um muro de concreto se elevando três metros bloqueia minha visão. Há uma calçada estreita que sai do pé da escada da varanda e atravessa o gramado, mas para em um portão de aço grosso que foi instalado no muro.

— Não sei — respondo, atrapalhada. — Tem um muro enorme. Contorna a casa toda. Não consigo ver nada para além dele.
— Está tudo bem. — Zen me tranquiliza, colocando a mão na minha.
— Para que serve o muro? — pergunto.

Para minha surpresa, sou eu mesma que respondo. Ou uma variação de mim. Mais uma vez, ouço minha voz baixar a uma monotonia enervante e sem inflexão enquanto repito rigidamente algo que não me lembro de ter aprendido.

— É para minha própria proteção.

Um arrepio debilitante sobe por meu braço. Zen acaricia meus dedos.

— Não se preocupe com isso — diz ele. — Concentre-se no que vai acontecer agora.

Concordo com a cabeça, obrigando-me a voltar à cena.

Meus olhos percorrem o muro, procurando a origem do ruído estranho que ouvi dentro de casa. Noto alguma coisa se mexendo ao lado.

— Vi uma coisa — digo a Zen.
— O que você viu?

Meu olhar volta-se rapidamente para a direita e recai em duas mãos segurando o alto do muro. Ouço um grunhido enquanto alguém luta para se impelir para cima. Um instante depois, aparece uma cabeça. Não consigo distinguir as feições, mas vejo que é jovem. Da minha idade. Talvez um pouco mais velho.

— Um garoto — respondo, a empolgação crescendo. — Ele está pulando o muro.

Ele passa uma perna com cuidado pelo alto, seguida da outra. Depois fica empoleirado na beira, olhando para baixo. Avaliando a distância até o chão. Depois de um instante, empurra-se dali, em queda livre por um segundo, pousando agachado do outro lado.

Do meu lado.

Ele se ergue e espana a poeira. Agora vejo seu rosto. Tem sobrancelhas escuras e grossas que se unem, formando uma ruga acima da ponte do nariz. Seus olhos são de um castanho-vivo. O cabelo é quase preto. Cai pela testa, alguns fios roçando as pontas dos cílios. Ele balança a cabeça para afastá-los enquanto uma única gota de suor cai de sua testa.

— Era você — digo em voz baixa, abrindo os olhos e fitando o mesmo rosto oval.

Zen sorri.

— Era eu.

— Você pulou o muro?

Ele dá de ombros.

— O que posso dizer? Fiquei curioso. Coloque um muro de concreto gigantesco na frente de um cara e ele vai tentar descobrir o que tem do outro lado.

— Acho que eu não era a única que não conseguia obedecer às regras — observo brincalhona enquanto volto a fechar os olhos.

A visão do estranho invasor provoca um ataque de emoções. Pavor. Regozijo. O impulso irreprimível de fugir.

Viro-me para a casa, meu olhar de imediato caindo em um botão vermelho que faísca preso à parede do lado de dentro da porta.

— O que é isso? — pergunto a Zen.

— O quê?

— O botão vermelho na parede. Para que serve?

Mas antes que eu consiga terminar a pergunta, a resposta já foi estimulada na minha mente.

Para casos de emergência.

Um tremor me domina e murmuro um "Deixa para lá" antes que Zen tenha a oportunidade de responder.

Mas, evidentemente, não considerei o aparecimento do Zen, na ocasião, uma emergência, porque volto à cena e descubro isto:

Ainda estou na varanda. Não corro de volta para casa. Não aperto o botão vermelho faiscante. Ainda estou escondida atrás da mesma pilastra. Observando. Tentando entender de onde ele veio. Quem ele é. Que idade tem.

Abro os olhos e fito Zen.
— Quantos anos você tem, aliás?
— Eu tinha dezessete quando isso aconteceu. Agora tenho dezoito.
Satisfeita por ter algo de concreto a acrescentar à minha magra lista de dados, volto a fechar os olhos.

Do meu esconderijo, vejo o garoto observando a casa, assombrado. Ele olha a fachada de cima a baixo, o rosto revelando uma curiosidade deslumbrada, quase afetuosa. Sua presença me fascina e assusta ao mesmo tempo.

— O que você vê? — ouço Zen perguntar a meu lado. Acho que ele chegou mais perto.
— Você — digo, permitindo-me a sugestão de um sorriso.
— O que estou fazendo?

O garoto dá alguns passos para frente, mas para. Muito abruptamente. É evidente que ele vê alguma coisa. E só preciso de um segundo para perceber o que é.
Eu.
Hesitante, espio em torno da pilastra e nossos olhos se encontram.

— Você está olhando para mim — respondo.
Ele ri baixinho.
— É difícil evitar.
Agora sem dúvida ele está mais perto. Sinto seu olhar em mim. Sua respiração. É quente e doce.
Meu coração dispara.

E neste exato momento, sinceramente, não sei se é por causa da garota de minha memória, de pé na varanda, petrificada de medo do estranho que inesperadamente se infiltrou em sua vida. Ou se é por mim, agora. Sentada ao lado desse mesmo estranho. Paralisada por sentimentos que não compreendo.

De uma só vez, tudo está embolado.

Não sei distinguir memória de realidade. Não consigo separar as emoções.

Consigo ver pelos olhos dela. Ouvir os pensamentos dela. Sentir seu medo. Porque um dia foi meu. Porque ainda é. E porque, não faz muito tempo, senti a mesma hesitação. Tive as mesmas dúvidas.

Dúvidas que de repente parecem absurdas.

Que de repente parecem...

Acabadas.

Abro os olhos e Zen está ali. Bem ali. Mais perto do que nunca.

Sinto meus lábios formigando e se contorcendo. Aperto-os para fechá-los, mas de nada adianta. Eles querem se mexer. Querem ir a algum lugar. Impelem-me para frente. Para ele. Para os lábios *dele*.

Como se existisse um caminho que foi aberto tempos atrás. Uma rota direta. A *única* rota.

Não entendo o que está acontecendo. Ou por que cada parte do meu corpo parece agir sem meu controle. Sem minha permissão. Porém, meu instinto me diz que é algo que não preciso entender. Nem mesmo preciso tentar. Porque provavelmente jamais conseguiria.

Sou ainda mais impelida. Minha boca quase toca a dele. Suas mãos estão a caminho do meu rosto. E então...

– Acho que devemos terminar – sussurra ele.

O ar frio corre por minha pele enquanto seus dedos se afastam do meu rosto e de súbito ele está de novo distante.

Preciso piscar para recolocar meu ambiente em foco. A sensibilidade volta aos poucos às partes do meu corpo que ficaram momentaneamente sem ela.

Concordo com a cabeça, mas não digo nada por medo de que minha voz me entregue. Desgraçadamente.

Sento-me mais reta na cadeira e tento sintonizar meus pensamentos com os acontecimentos daquele dia. Pegar o que deixei de fora. Mas não há muito mais a lembrar.

Observo o garoto se aproximar lentamente da varanda, minha incerteza crescendo a cada passo que ele dá. Olho o alarme pela segunda vez. De novo, dividida entre obedecer às regras e ceder à minha curiosidade.

A curiosidade vence.

— Quem é você? — pergunta ele.

Engulo um bolo na garganta e lentamente abro os lábios.

— Meu nome é Seraphina.

E então não há nada.
A lembrança chega ao fim.

27
ISOLADA

❖

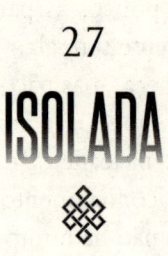

Meu corpo e minha mente estão exaustos e ansiando pelo sono, mas não quero parar. Estou viciada no gosto das minhas próprias lembranças. O sabor é inebriante. A ideia de finalmente ter respostas às minhas perguntas me regozija. Basta para me manter bem acordada.

— Pensei ter ouvido você dizer que quando me conheceu eu vivia em um laboratório — observo.

— E você vivia — responde ele. — Sua casa fazia parte de um enorme complexo de pesquisa. Afastado da civilização. Longe de tudo. Originalmente, pensei que o motivo para a Diotech ter decidido construí-lo tão longe era por ser o único lugar em que eles encontrariam espaço para abrigar todas as estruturas e a equipe. Mais tarde, descobri que era porque eles não queriam que ninguém soubesse o que realmente faziam por lá.

Ele faz um gesto vago na minha direção que não consigo interpretar muito bem.

Mas ele deve ter notado minha expressão confusa, porque acrescenta rapidamente:

— Me desculpe. Como você deve saber, eu tenho uma espécie de relação de amor e ódio com a Diotech.

— O que isso quer dizer?

Ele solta um forte suspiro.

— Eu os odeio pelo que fizeram com você. Ao mesmo tempo, se não fosse por eles, não haveria... bem... *você*. E, por isso — ele me abre aquele lindo sorriso torto de novo —, acho que tenho que agradecer a eles.

Sinto minhas bochechas avermelhadas de calor. É isso que acontece quando o rosto de Cody fica vermelho? Rapidamente, desvio os olhos.

Zen coça impiedosamente a sobrancelha.

— É só que é tudo tão distorcido e complicado. Olha, eu praticamente fui criado no complexo da Diotech. Era a minha casa também. Minha mãe era uma das cientistas-chefes. Nós nos mudamos para lá quando eu tinha oito anos. Eles mantêm de tudo naquele complexo. Toda a pesquisa, os projetos, a administração, os funcionários, os familiares dos funcionários. A empresa inteira está ali. Assim eles podem controlar tudo... e *todos*... o tempo todo.

O ressentimento em sua voz é denso e gélido. Transforma-o em outra pessoa. Não no garoto inocente e despreocupado que pulou o muro naquele dia. Tenho a sensação de que esse garoto está desaparecido há um bom tempo.

— As pessoas raras vezes vão embora — explica. — Por que iriam, quando tudo de que precisam está lá? Escolas, lojas, restaurantes, diversão. — Um sorriso amargo distorce seus lábios. — Acho que não é muito diferente de uma seita.

— Uma seita?

— É. Sabe, todo mundo sofre uma lavagem cerebral para acreditar em algo que não é verdade. As pessoas são enganadas. Para que não fujam. — Ele solta uma risada amarga. — Mas acho que eles não escondem muito bem a verdade. Porque nós descobrimos. E *fugimos*. — Ele baixa a cabeça e a voz: — Pelo menos, tentamos.

— Por isso mandaram gente atrás de mim — declaro, esforçando-me para que essa nova informação se encaixe com as poucas coisas que já sei. — Aqueles homens no estábulo. Foi porque nós fugimos?

Ele assente solenemente.

— Eles trabalham para a Diotech. Fazem parte da força de segurança de elite de Alixter.

— Alixter? — repito o nome. Soa-me assombrosamente familiar. Provoca um tremor de medo em meu corpo.

Zen observa atentamente minha reação.

— Sim. Jans Alixter. O presidente da Diotech e o homem mais abominável do universo. Ele criou a empresa. Junto com Rio. São os sócios-fundadores. Alixter era o cérebro executivo da operação, enquanto o dr. Rio lidava com toda a parte científica.

Rio.

O ruivo.

A menção dele provoca algo em meu subconsciente. Dou uma espiada no cubo prateado na mesa. Ainda está aceso. Ainda estou ligada a ele. Pergunto-me se há algo armazenado ali que possa me dizer mais sobre este homem. Sobre o homem que pagou a minha refeição no restaurante. Que me libertou das amarras no estábulo. Que Zen tentou matar algumas horas atrás.

Mas não vem nada.

— Você está bem? — pergunta Zen, examinando meu rosto. — Talvez a gente deva fazer um intervalo.

— Não — respondo, apressada. — Ainda há muita coisa que quero saber.

Zen sorri.

— Tudo bem. Por exemplo?

— Por exemplo... — interrompo-me, lutando para organizar em uma espécie de lista de prioridades a multiplicidade de perguntas que nadam em minha cabeça. — O que aconteceu no dia em que nos conhecemos? Depois que você me viu atrás da pilastra. Eu toquei o alarme por sua causa?

— Não. Felizmente. — Seu sorriso aumenta. — Ficamos sentados no gramado e conversamos. Na verdade, por um bom tempo. No início você estava muito cautelosa comigo. Ficou sentada a uns três metros de mim. — Ele ri com vontade da lembrança. — Era evidente que você não confiava em mim. Mas, devagar, aos poucos, começou a se abrir. Chegou mais perto. Foi lindo.

— Sobre o que nós conversamos?

Ele dá de ombros.

— Sobre muitas coisas. Na verdade, quem mais falou fui eu. Eu estava nervoso. Simplesmente não conseguia me refazer do impacto de sua beleza. E você estava falando comigo. Essa foi a parte mais inacreditável.

Penso no que Cody disse no ônibus. Sobre as meninas se recusarem a falar com ele.

— Você é amargurado com meninas bonitas? — pergunto.

Ele dá uma gargalhada.

— Como é? Não. Eu... Bem, nunca conheci alguém tão bonita como você, digamos assim. Você era tão — sua voz de repente fica mais baixa — diferente.

Vejo sua expressão mudar. A mudança é perceptível. E sei de imediato que a escuridão voltou.

— Qual é o problema?

Ele balança a cabeça, como se tentasse soltar um pensamento que se agarrou ao cérebro.

— Havia algo muito incomum em você. Eu vi de cara.

— Incomum como?

—Tinha a ver principalmente com a sua fala. Era meio forçada. Como se ninguém tivesse te ensinado a usar as inflexões quando falava. Era evidente que você era imensamente inteligente, mas não sabia de muita coisa. Palavras e expressões cotidianas, referências da cultura pop.

Então eu sempre fui assim.

A ideia me reconforta e inquieta ao mesmo tempo.

— Depois, tinha aquela marca estranha no seu punho. Você me disse que era uma cicatriz de quando era bebê. Mas eu sabia que não podia ser verdade. Nenhuma cicatriz é assim. Mas não pressionei. Supus que você simplesmente não quisesse me contar. Foi só mais tarde que percebi que você estava regurgitando o que *eles* lhe disseram. Você não entendia também.

Toco a linha preta e fina em meu punho, estremecendo ao me lembrar do que senti quando vibrou e entregou minha localização.

— Mas o principal motivo de eu saber que havia algo incomum em você — continua Zen — era que eu nunca havia te visto. Olha só, todas as crianças que moram no complexo são da mesma escola. Nós somos uns cem. A gente passa a conhecer muito bem as pessoas. É como uma cidade pequena. Então, era muito estranho ver você escondida ali, naquela área restrita, sabendo que você não andava conosco.

— Área restrita? — repito.

Ele assente.

— Fica no canto mais distante da propriedade. Ninguém pode entrar sem autorização expressa.

— Mas como foi que *você* entrou? — Há mais do que uma leve provocação na minha voz.

Ele ri, permitindo o retorno de parte da leveza, e despreza minha pergunta como se a resposta fosse banal.

— Ah, fiz uma cópia das digitais do meu pai anos antes. Ser criado em um complexo de pesquisa tecnológica dá acesso a muitos aparelhos bem legais. A vida é muito chata por lá. A gente descobre um jeito de se divertir sozinho.

— Pulando muros de concreto, por exemplo? — pergunto com um sorriso malicioso.

— Exatamente.

Olho a caixinha prateada que estranhamente abriga o conteúdo da minha vida. Ou, pelo menos, *parte* dele. Vejo-me torcendo para que algo neste pequeno dispositivo venha a revelar por que me sinto tão peculiar perto de Zen. Por que meus lábios parecem atraídos aos dele como a um ímã. O que realmente significa uma alma gêmea.

— E o que aconteceu depois disso? — pergunto. — Depois que conversamos.

Mais uma vez, vejo sua postura mudar. A luz nos olhos se apaga um pouco.

— Você perguntou se eu voltaria para vê-la e eu disse que sim. — Ele vira a cara e pega o disco rígido, aninhando nas mãos. — Depois fui embora e você se esqueceu completamente de mim.

Pisco, surpresa.

— Isso é impossível. Eu jamais...

Mas antes que eu consiga terminar a frase, sou atingida por uma saraivada de imagens. Mil imagens girando caoticamente, misturadas com lampejos de branco leitoso.

Sei que só pode significar uma coisa: os fragmentos de outra lembrança.

Deixo que meus olhos se fechem enquanto assisto à cena se desenrolar diante de mim. Enquanto testemunho em primeira mão.

Toc. Toc. Toc.

O pânico aperta meu peito. Meu sangue fica gelado.

Ninguém jamais bate na porta. Meu pai sempre usa a digital para entrar.

Outra batida. E depois...

Uma voz. "Sera?"

Uma voz que não reconheço.
Mas de algum modo a pessoa sabe meu nome.
Como pode saber meu nome?
Com as mãos trêmulas e a respiração entrecortada, coloco o dedo no leitor. Quando solta o sinal sonoro, abro uma fresta da porta e espio por ela. Tem um garoto na minha varanda.
Um garoto que eu nunca vi na vida.
Invoco minhas forças, estufo o peito e exijo saber dele: "Quem é você?"
"Seraphina." Ele pronuncia meu nome com tal intimidade que me faz tremer um pouco. "Sou eu. Lyzender. Vim aqui ontem."
Abro um pouco mais a porta e coloco a cabeça para fora, olhando-o de cima a baixo, tentando refrescar a memória. Mas não funciona. Não o reconheço.
"Não, você não esteve." Volto para dentro e bato a porta. Minha respiração ainda não voltou ao normal.
Vá embora, penso comigo mesma. Por favor, só vá embora.
Mas ele não vai.
Bate novamente. "Sera, por favor."

De imediato, seu pedido me arranca dali. De volta ao presente. De volta ao agora.
Reconheço aquelas palavras. Reconheço o desespero. Eu as ouvi no estacionamento do supermercado.
"Por favor, Sera. Tente."
Quantas vezes eu me esqueci desse garoto?
Quantas vezes ele me pediu para lembrar?
– Não entendo – digo lentamente, obrigando-me a manter a calma. – Por que não reconheci você? Por que me comportei como se não nos conhecêssemos?
– Porque – declara Zen em um tom moderado – eles me apagaram da sua memória.

28
FALSIFICAÇÕES

❖

Sua resposta é um murro no meu peito. E, de repente, me sinto de volta ao mar. As ondas frias e impiedosas batendo no rosto.

— O q-q-quê? — Mal consigo soltar um guincho.

— Na verdade, *apagado* deve ser a palavra errada — admite Zen. — *Removido* é melhor. Porque a lembrança ainda existia depois de eles a terem tirado de você. — Ele dá um tapinha no cubo prateado na mesa. — Simplesmente não existia mais em sua mente.

— Por quê? — exclamo. Meu controle das emoções me escapa. — Por que eles fariam isso?

— Controle, Sera — diz ele com tal gravidade que preciso olhar para o outro lado. — Eles tentavam manipular *tudo*. Tudo de que você se lembrava e tudo de que *não se lembrava*. Eles controlavam o que você sabia. O que pensava. A sua vivência. Mas grande parte disso foi uma grande mentira. Sua infância, os amigos...

— Meus amigos? — pergunto, surpresa. — Eu tinha *amigos*?

Zen fecha os olhos e passa a mão no rosto. Quando os olhos se abrem, vejo que estão atormentados e injetados de sangue.

— Você *pensava* ter amigos — esclarece. — Pensava que tinha uma vida inteira fora do complexo. Com família, festas de aniversário e farras de compras no shopping. Mas nada disso era real. Era tudo falso.

— Falso? — repito, sem acreditar. — Como se criam amigos *falsos*?

— Implantando lembranças artificiais em seu cérebro.

Balanço a cabeça, recusando-me a acreditar.

— Não. Eu saberia a diferença.

— Aí é que está a questão — diz ele. — Você não pode saber. Ninguém pode. Eles têm programas de computador que geram memórias tão perfeitas que o cérebro não consegue diferenciá-las das verdadeiras. Eles enchem sua mente com essas experiências felizes e reconfortantes e elas se misturam muito bem, como se ali fosse o lugar delas. Para você, é tudo igual. Depois que a memória é carregada, é irrelevante se aconteceu ou não. Seu cérebro *pensa* que aconteceu.

Sinto lágrimas quentes arderem em meus olhos.

— Não entendo por que alguém faria isso — digo, sufocada. — Por que precisariam implantar lembranças felizes em meu cérebro?

— Para substituir as desagradáveis — responde sombriamente Zen. — Fazia parte de uma grande ilusão, para esconder o fato de que você na realidade era uma prisioneira. Eles decoraram sua cela para que parecesse uma casa de verdade, encheram sua cabeça de lembranças fictícias. Tudo isso para que continuassem a fazer as coisas horrendas que lhe faziam e você jamais soubesse. Porque você jamais poderia lembrar.

Minha cabeça começa a latejar. Levanto-me e ando pela sala. Contando os ladrilhos do piso. As mesas. As cadeiras. Mas é inútil. Nada alivia a náusea na boca do estômago.

— Que *tipo* de coisas horrendas? — finalmente consigo perguntar.

— Isso eu não sei — admite ele. — Mas suponho que seriam muito ruins, se a Diotech tinha tanto trabalho para acobertar tudo. Jamais conseguimos descobrir por que você voltava com uma lembrança de algo alegre e agradável sempre que a tiravam da casa. Uma viagem à praia. Dormir na casa de uma amiga. Sempre essas pequenas excursões perfeitas.

Meus pés reduzem o ritmo e param. Está acontecendo alguma coisa. As palavras dele devem ter estimulado alguma reação, porque sinto outra lembrança se formando.

Ansiosa, olho o disco rígido, perguntando-me que horrores ele tem guardados para mim agora. Perguntando-me se um dia conseguirei lidar com o que ele tem para me mostrar, quando mal consigo lidar com o que já vi.

Levo as mãos ao rosto, pronta para arrancar da pele os discos de borracha. Mas é tarde demais. As imagens já se infiltraram em meu cérebro. Já deram início ao seu círculo caótico e vertiginoso.

Minhas mãos caem flácidas junto ao corpo com a minha rendição.

Fecho os olhos e deixo acontecer. Porque não tenho escolha.

"Você tem que ir embora tão cedo?"

Reconheço minha própria voz. Estou falando com alguém.

Levanto a cabeça para vê-lo. Rio. Parado perto da porta de entrada.

A minha porta de entrada.

É a mesma sala de estar.

A mesma casa.

Ele assente solenemente. "Sim. Desculpe, Sera. Mas preciso voltar ao trabalho." Ele leva o dedo à placa branca na parede. A porta eletrônica soa.

"Quando você vai chegar em casa?", pergunto.

Casa.

A palavra me puxa para fora da memória.

Ele morava comigo?

No estábulo, ele me disse que eu era sua maior criação. Será que isso quer dizer que ele é meu...

Mas não consigo me obrigar a pensar nisso.

Lembro-me, então, do que Zen disse. Foi tudo uma manipulação. Uma mentira. Nada disso era real.

"Voltarei daqui a algumas horas", responde Rio. Mas ele não parte de imediato. Fica algum tempo à porta, hesitando, antes de se virar lentamente e perguntar "Você se divertiu hoje?". Sua voz é leve e animada, mas há algo nos olhos que não combinam.

Arrependimento?

Tristeza?

Remorso?

Culpa.

Foi a garota da lembrança que fez a pergunta, mas agora sou eu quem responde. Não reconheci na época, quando estava de pé naquela sala de estar. Não tinha o contexto certo. Mas agora tenho. Porque vim sendo assombrada por essa mesma emoção. E ela deixa uma marca.

Uma marca parecida com essa.

"Sim!", digo, com certo êxtase. "Foi um dia perfeito."

Ele sorri. Um sorriso triste e cansado que quase parece algo inteiramente diferente. "Que bom. Fico feliz."

A sala se desvanece ao branco.

Fico de olhos fechados. Mesmo sabendo que acabou. Ainda não consigo encarar a realidade. Nem mesmo sei mais o que ela é.

"Um dia perfeito."

Essa foi a minha resposta.

Exatamente como Zen descreveu.

Mas Rio não estava perguntando sobre o meu dia. Ele queria saber se eu acreditei na mentira. Queria ter certeza de que o implante de memória fora um sucesso.

Meus olhos se abrem repentinamente e recaem na porta. Os músculos em minhas pernas explodem em brasa. Dou atenção a seu pedido e parto para a porta, atravessando a sala em um borrão.

Não posso ficar aqui nem por mais um minuto.

Zen dá um salto da cadeira, mas não tenta me perseguir. Acho que ele sabe que jamais conseguirá me alcançar. Em vez disso, tenta me segurar com suas palavras.

— Sera. Por favor. Não.

Funciona. A angústia em sua voz me faz parar pouco depois da porta.

— Você não pode continuar fugindo sempre que tem medo — ele me avisa. — A certa altura, você terá que ficar e lutar pelo que sabe que é certo.

Olho com desejo a maçaneta da porta, meus dedos se contorcendo. Todo o meu corpo grita.

— Eu roubei essas memórias da Diotech para *mostrar* a você. Para que você possa ver por si mesma. Porque preciso que confie em mim. E sei que você não acreditaria em mim de outro jeito. — Sua voz falha, mas a intensidade não cessa. — Sera, por favor — implora. — Preciso de você de volta ao meu lado.

Apesar de cada impulso insistir que eu saia por aquela porta, viro-me e o encaro, a umidade se acumulando na superfície dos meus olhos.

— Sei quanto é difícil para você ouvir tudo isso — continua Zen. — Porque eu vi você saber a verdade antes. Quando descobrimos isso juntos. Mas, na época, tínhamos mais tempo. Para apreender tudo. Agora não temos esse luxo. Eles virão atrás de você. Não vão parar até te encontrarem. E *levarão* você de volta para lá.

A primeira lágrima escorre, riscando uma linha torta pela minha bochecha.

— *Nada* na minha vida era real? — sussurro.

Ele solta o ar, arriando os ombros.

— Eu era real.

Ele dá um passo na minha direção. Depois outro. Anda lentamente, como quem se aproxima de um animal ferido e assustado na mata. E acho que é o que devo parecer agora. Certamente é assim que me sinto.

Ele hesita a centímetros de distância. Estende o braço e coloca meu medalhão na mão em concha.

— Foi por isso que coloquei a pedrinha aqui — diz. — Se você um dia tivesse dúvidas, podia tocá-la, senti-la e saber que o que tivemos nunca foi falso. Nunca foi gerado por um computador e implantado em seu cérebro. *Sempre* foi real.

Começo a tremer. No início, pouco. Um tremor delicado. Mas ele cresce. Cada vez mais forte e mais tenso, até que estou me sacudindo violentamente. Meus dentes batem. Meu corpo entra em convulsão.

Zen corre até a cama improvisada no meio da sala de aula e volta com um cobertor. Assim que me envolve com ele, eu desmorono. Cada músculo, da cabeça aos pés, desiste, um por um, como uma reação em cadeia.

Zen me segura pouco antes de eu bater no chão. Em seguida, em um movimento rápido, passa minha mão flácida por sua nuca, abaixa-se e, com o cotovelo metido sob meus joelhos, me pega sem esforço nos braços.

Minha cabeça cai em seu peito enquanto ele me carrega até o colchão de espuma no chão e me repousa ali. Desabo de lado, as pernas em júbilo e a cabeça afundando ansiosamente no travesseiro. Só agora percebo quanto estou cansada.

Olho o relógio na parede. São 3:42 da madrugada.

— E minha mãe? — pergunto, estupefata. Minha voz soa estrangulada. — Eu a conheci?

Zen volta à mesa e desliga o disco rígido. Daqui, vejo o brilho verde e suave esmorecer e finalmente se apagar.

— Você *pensava* que conhecia.

— Eu cheguei a ter uma?

— Não como aquela de que você se lembra. Ela era uma fábula, como todos os outros. Quanto à sua mãe verdadeira — ele balança a cabeça com tristeza —, sinceramente, não sei.

— E Rio. Ele é... ele era meu pai?

Desta vez, consigo fazer a palavra sair.

Os punhos de Zen se cerram e vejo que ele olha a arma na mesa.

— Aquele homem não é o seu pai — rosna.

— Mas ele morava comigo?

— Sim. Mas também era ele que controlava sua mente. Ele *não merece* confiança, em circunstância nenhuma.

Penso na pessoa que vi no estábulo. Quando olhei em seus olhos cinza-esverdeados e plácidos, enxerguei algo ali. Algo que não consegui situar. Mas me deu vontade de protegê-lo de qualquer mal.

Seria resíduo de uma série de lembranças fabricadas?

Ou algo real?

Eu me pergunto se um dia vou saber.

Apesar do cobertor quente que me envolve, todo o meu corpo fica dormente. Mas, ao menos, parei de tremer.

— Zen? — chamo em voz baixa.

Ele se senta no chão ao lado da minha cabeça.

— Oi?

— Se tantas lembranças minhas são falsas, como vou saber se posso confiar naquelas que você me mostrou?

Ele leva os joelhos ao peito e entrelaça as mãos na altura dos tornozelos.

— Você não tem como saber — admite. — Você não pode confiar em nenhuma lembrança. São facilmente manipuladas. Você só pode confiar no que sente. No que você sabe ser verdadeiro.

— Mas — protesto, o desespero se infiltrando —, e se eu não...

— Shhhh. Uma parte de você sempre saberá. Você só precisa entender a que parte deve escutar.

Ele se aproxima e passa os dedos pelo meu cabelo.

Sua presença tem um efeito calmante. E estou agradecida por Zen estar aqui. Que ele é que esteja me contando tudo isso. Mas sei o quanto é doloroso para ele. Zen é como um escudo que posso colocar entre mim e a verdade. Atenuando um golpe até certo ponto. Absorvendo uma fração mínima do impacto. Tornando tudo isso menos horrível, embora só um pouco.

E agora entendo por que eu o chamava de Zen.

Sinto minhas pálpebras arriarem. É cada vez mais difícil ficar de olhos abertos.

— Não lute, Sera. — Ele me diz. — Durma. Vou ficar acordado.

Mas tenho medo do silêncio. Medo dos pensamentos que o silêncio trará. E das lembranças que eu, por ironia, antes desejava mais do que qualquer coisa.

— Continue falando — balbucio pelos lábios desfalecidos.

Ele ri.

— Do que quer que eu fale?

— Fale mais do medalhão — peço.

— Foi especialmente desenhado para você. — Ouço a tristeza em sua voz. — Você sempre adorou esse símbolo. O nó infinito. Dizia que pareciam dois corações entrelaçados. Para sempre unidos. Para sempre ligados.

— Quantas vezes eu me esqueci de você? — Minha voz é rouca e quase inaudível.

Ele suspira.

— Muitas, não dá para contar.

— Desculpe — digo, fraca.

Mas ele volta a rir.

— Não é culpa sua. — Ouço o farfalhar suave de seus dedos em meu cabelo. — Além disso, eles é que fizeram papel de idiota. Porque eu nunca fui realmente embora.

Concordo de leve com a cabeça no travesseiro.

Quero dizer a ele que entendo. Que estou começando a entender. Que acho que talvez ele sempre estivesse presente. Persistindo em algum lugar dentro de mim. Agarrando-se desesperadamente.

Revelando-se de maneiras sutis que eu não conseguia compreender.

Embora eu ainda não me lembre dos detalhes do que ele me contou, sinto as sombras do nosso passado juntos. Elas ainda correm por minhas veias. Têm eco no riso dele. Estão refletidas em seus olhos.

Lembrando-me de que aqui estou a salvo. Com ele.

Como pistas deixadas para que eu as encontrasse. Pistas que de algum modo deixaram sua marca em tinta permanente.

Talvez algumas coisas simplesmente *não possam* ser apagadas.

Ele se abaixa e sussurra baixinho em meu ouvido:

— Está dormindo?

— Não — murmuro.

— Quero experimentar uma coisa.

Com delicadeza, ele coloca a ponta de dois dedos em minha testa, bem acima da ponte do nariz.

Imediatamente, a pele entre os olhos arde com um calor puro e consolador. Exatamente como aconteceu quando o vi na frente do hospital. E no estacionamento do supermercado. Só que desta vez é ainda mais quente. Vai ainda mais fundo. É mais intenso do que nunca.

E então, num átimo, sei o motivo.

Uma lembrança transborda.

Abro os olhos por tempo suficiente para ver o cubo de prata mínimo na mesa diante de nós. Não está mais iluminado. Não transmite mais sinal nenhum. *Desligado.*

O que significa que esta lembrança não vem de um disco rígido roubado. Vem de mim. De algum lugar dentro de mim. Onde esteve escondida esse tempo todo. Esperando.

O sol do meio-dia é forte no céu. Brilha sobre nós. Ilumina meu mundo minúsculo.

Um mundo que ficou infinitamente maior desde que ele entrou.

Zen e eu estamos deitados juntos no pequeno gramado que compõe meu jardim. Estou de barriga para cima e ele está apertado ao meu lado, o braço cobrindo minha barriga. O sol aquece nosso rosto.

O ar está parado. Estamos sozinhos.

É meu lugar favorito.

Sozinha. Com ele.

Mas sei que não vai durar muito tempo. Nunca dura.

"E se eles apagarem você de novo?", pergunto. Minha voz estremece de medo.

Sei da verdade. Que são eles que vêm escolhendo do que me recordo. E do que me esqueço.

Isso me apavora.

E não sei o que fazer agora.

Zen se mexe a meu lado e se apoia no cotovelo. Vejo meus olhos refletidos nos dele. Como dois espelhos refratando a luz um do outro pela eternidade.

"Eles ainda não conseguiram me apagar completamente."

"Mas eles tentaram", observo. "E se tentarem de novo? E se da próxima vez conseguirem?"

"Vamos ter que pensar em um sinal", sugere ele, abrindo-me aquele sorriso torto e irônico que passei a amar tanto.

"Que tipo de sinal?"

"Algo que eles não possam eliminar."

Sinto as lágrimas arderem meus olhos. A verdade me mata um pouco mais a cada minuto. "Mas eles podem eliminar qualquer coisa", exclamo. "Tudo o que querem. Sempre que querem."

Mas Zen apenas sorri, balança a cabeça e toca meu rosto com as costas da mão. "Eles não podem tirar tudo." Uma lágrima consegue se libertar do meu olho e ele a segura na ponta do dedo. "Eles não podem eliminar um sentimento. Não podem tirar isto."

Ele então pressiona dois dedos na minha testa. Fecho os olhos e absorvo o calor de sua pele, deixando que penetre. Que penetre fundo. Que ultrapasse a mente. Que passe do meu cérebro hiperativo e calculista. Que passe do meu inconsciente. Até o lugar em que vivem momentos como esse.

Para sempre.

Ele se curva e substitui a ponta dos dedos pelos lábios. A mudança é tão rápida que não sinto a transição. O calor não esfria.

Seus lábios se deslocam para encontrar os meus. Eu os antevejo. Anseio por eles. Nossas bocas se misturam. A respiração de cada um torna-se uma só, um só inspirar e expirar. Perco-me. Perco a noção do tempo.

Quando ele se afasta, olha de novo em meus olhos. "Agora", diz Zen, acariciando gentilmente meu cabelo, "sempre que eu tocar sua testa, você se lembrará deste momento. Ou, no mínimo, você se lembrará de que um dia existiu um momento. E que foi perfeito."

Uma aura pacífica baixa ao meu entorno. Bloqueia qualquer ruído. Qualquer sensação. A não ser a do toque de Zen. Enterro-me mais no cobertor e tento segurar a mão dele na minha. Puxo-a para baixo e coloco entre meus braços, perto do coração, apertando-a com força no peito.

— Você se lembra? — pergunta ele, curvando-se e colocando os lábios no meu rosto.

— Sim — sussurro. — Sim, sempre.

PARTE 3

A RENDIÇÃO

29
AR

Estou em uma praia. Vejo três figuras sem rosto brincando na água. Nadando a uma distância cada vez maior. Chamam por mim.

— Sera! Vem!

Mas não vou até elas. Apesar de serem minhas melhores amigas.

Só observo enquanto elas vão ficando cada vez menores.

Uma onda gigantesca se quebra, sugando as três em seu forte recuo. Uma delas consegue vir à tona e grita. Mas sua voz rapidamente é contida pelo barulho da água. A garota luta contra a correnteza, mas ela é impiedosa. Jogando-a de um lado para outro. Sem soltar. Sem se render.

Minha amiga não é páreo para isso. E a observo afundar novamente.

Levanto-me de um salto e corro para a água, preparando-me contra o frio enquanto outra onda grande enterra meus pés. Mergulho de cabeça por baixo da onda seguinte, o horizonte desaparecendo em um lampejo de azul.

Agora estou submersa. Batendo os pés com força. Freneticamente.

Abro os olhos.

Consigo enxergar tudo com clareza. As algas marinhas. Os corais soprados por uma brisa subaquática. Um pequeno cardume cor de areia.

Sua formação perfeita e harmoniosa se rompe e os peixes se espalham quando passo nadando por eles, procurando minhas amigas.

Ainda ouço seus gritos.

Mesmo aqui embaixo.

Meu cabelo rodeia minha cabeça, bloqueando a visão. Empurro-o para trás e procuro mais atentamente. Elas devem estar aqui em algum lugar!

Mas não estão em lugar nenhum. Desapareceram. Tragadas pelo mar.

Vejo luz acima de mim. É uma cor incomum. Não é amarela como o sol. É branca e fluorescente.

Nado em direção a ela, sentindo os pulmões se contraindo devagar.

Preciso respirar.

Meu braço se estende para romper a superfície. Prevejo a sensação do ar quente da praia. Mas ela não vem.

Minha mão bate em algo duro. Uma superfície sólida e lisa. Um teto de vidro. Mantendo-me cativa debaixo da água.

Bato com a palma da mão e empurro para cima, mas o teto não cede. Apalpo em volta, procurando uma borda. Uma abertura.

Não há nenhuma.

Olho para cima e vejo meu reflexo apavorado.

Pressiono com mais força, batendo o punho, mas ouço apenas o eco vazio de meus esforços reverberando pela água salgada.

Preciso respirar!

Subitamente, pelo grosso painel de vidro, vejo alguém. Andando acima da superfície. Bato de novo, na esperança de chamar sua atenção.

Ele se curva e me olha de cima. Vejo seus olhos. São frios. Implacáveis. Provocam uma explosão de formigamento por meu corpo já dormente.

— Alixter, acho que já é o suficiente — ouço uma voz abafada e vagamente familiar chamar de algum lugar atrás dele.

Ele se ergue. Seu movimento é veloz. Arrepiante.

— Não — responde com insensibilidade. — Ela não está pronta.

Faço uma última tentativa inútil de romper o vidro, mas é grosso demais.

Abro a boca para gritar e a água inunda meus pulmões.

Acordo ofegante. Asfixiada.

O ambiente familiar da sala 302 é um borrão que entra e sai de foco enquanto o suor pinga em meus olhos.

Este é meu segundo sonho.

30

ENCONTRADA

❖

O sol está brilhando quando acordo. Infiltra-se pelas persianas das janelas, iluminando toda a sala. Agora deve ser o meio da manhã. Pergunto-me quanto tempo dormi.

Espreguiço-me e olho à minha volta. Enquanto vejo as mesas e as cadeiras pequenas, as paredes coloridas e minha cama improvisada no chão, os acontecimentos da noite passada me voltam em disparada.

O pequeno disco rígido prateado.

As lembranças.

A verdade.

É quando percebo que Zen não está aqui. Nem a arma.

– Não se mexa! – ouço alguém gritar. De imediato reconheço a voz de Zen. Vem do lado de fora da porta. – Quem é você?!

Levanto-me num salto e corro, metendo o pé na porta. Ela voa das dobradiças e cai no chão do outro lado.

Zen dá um leve pulo com o barulho, mas recupera o foco. Segura a arma com o braço estendido. Apontando para alguém no corredor.

Acompanho a direção de sua mira e ofego quando meus olhos recaem em Cody, protegendo-se contra a parede. Seus olhos estão bem fechados. O corpo treme.

— Zen! — grito, correndo até Cody. — O que está fazendo? Baixe a arma!

— Sera... — Zen começa a argumentar.

Mas não deixo que ele termine. Lanço o olhar mais ameaçador que consigo invocar.

— Baixe. Esta. Arma. Agora.

Relutante, Zen abaixa os braços. A arma para junto de sua coxa.

— Sera — ele tenta de novo —, você não pode confiar em ninguém.

Suspiro.

— E você não pode desconfiar de *todos*. Este é Cody. Meu irmão adotivo de treze anos. Posso garantir que é inofensivo.

Estendo o braço e toco de leve nas costas de Cody. Ele dá um salto.

— Está tudo bem — digo a ele.

Mas isso não parece tranquilizá-lo em nada. Vejo, então, seus olhos se arregalarem.

— Mas quem *é* você, afinal? — exige saber. — Por que derruba portas aos chutes e anda com gente armada e... — Sua respiração se acelera a um ponto em que ele não consegue mais falar.

Tento tocar nele de novo, mas Cody tem um solavanco.

— Cody, relaxa.

— Pergunte a ele como encontrou você — grita Zen do outro lado do corredor. Ele agora anda de um lado a outro.

Cody olha intranquilo de mim para Zen, depois para mim de novo.

— Vi seu histórico de pesquisa. Em meu laptop. Vi que tinha entrado com este endereço no Google.

— Você o deixou no computador? — grita Zen. — *Para qualquer um encontrar?*

O estresse de ter que apaziguar esses dois garotos está acabando com meus nervos. Levanto a mão para tentar calar Zen.

— Por favor.

Depois me volto para Cody.

— Meus pais surtaram total quando acordaram e você tinha sumido — explica Cody. — Tiveram que telefonar para a assistência social e contar que você estava desaparecida. Meus pais puseram a culpa em mim. Acharam que eu ajudei você a fugir de novo. Mesmo eu jurando que não sabia de nada. Mas é claro que eles não acreditaram em mim. Acho que agora eu tenho ficha suja.

Baixo a cabeça.

— Sinto muito por isso, Cody. Sinto de verdade.

Ele dá de ombros.

— Tanto faz. Procurei pistas no seu quarto, pensando que se soubesse onde você estava e a levasse de volta, podia me safar.

— Ela não vai voltar para lá. — A voz de Zen é firme e protetora.

Lanço outro olhar suplicante e ele baixa a cabeça e se cala de novo.

Cody olha a arma, ainda firme na mão de Zen. Depois olha de volta para mim.

— O que está havendo aqui? Quem é *esse*?

— Este é Zen — explico. — Ele é... um amigo. Do meu passado.

Cody bufa.

— Um amigo. O que ele está fazendo com uma arma semiautomática?

Mordo o lábio ao tentar encontrar uma resposta. Uma resposta que faça sentido, mas que não coloque Cody em perigo.

— É complicado. Zen só está sendo extremamente cuidadoso.

As sobrancelhas de Cody se erguem.

— Isso tem alguma coisa a ver com as pessoas que foram lá em casa procurando por você hoje de manhã?

Num instante, Zen estava do meu lado, olhando o pobre Cody de cima e com raiva.

— Que pessoas? — ele exige saber.

Empurro o peito de Zen, insistindo que recue e dê algum espaço para Cody respirar. Ele aquiesce. Mas seu olhar ameaçador não vacila.

— Que pessoas? — insiste ele mais uma vez.

Meto-me entre os dois e tento de novo colocar a mão no ombro de Cody. Desta vez, felizmente, ele não se retrai.

— Quem estava procurando por mim? — pergunto, com o cuidado de manter a voz muito mais calma e mais suave do que a de Zen.

— Não sei — admite Cody. — Eu já estava saindo quando eles chegaram. Só ouvi dizerem que eram cientistas e que queriam falar com você.

Zen e eu nos olhamos. Nós dois sabemos o que isso significa.

Ele tem razão. Não posso voltar para lá.

— Eles seguiram você? — pergunta Zen.

Cody meneia a cabeça.

— Acho que não. — Ele me olha de novo, a súplica nos olhos. — Violet, o que está acontecendo? Está com algum problema? Você fez alguma coisa ilegal?

Suspiro.

— Não posso explicar. Desculpe. Nem eu mesma tenho toda a história. Só sei que corro perigo e não posso ficar aqui. Preciso sair da cidade. Se eu te disser mais do que isso, só o colocarei em perigo também. E não posso fazer isso. Já causei muitos problemas a você e sua família. Por favor, diga a seus pais que eu peço desculpas. — Sinto as lágrimas brotando nos olhos. Pisco para reprimi-las. — E que agradeço.

Olho para Zen, assumindo o controle da situação, para variar.

— Vem. Vamos.

— Espera! — chama Cody. — Talvez eu possa ajudar de um jeito.

Viro-me e abro um sorriso. Ele parece tão assustado. Ainda assim, tão interessado.

— Obrigada, Cody. Mas você não pode ajudar. O melhor que pode fazer por nós é ir para casa e dizer a seus pais e a quem aparecer por lá que você não sabe onde estou e que não tem me visto.

— Mas... — Cody tenta argumentar.

— Por favor — eu o interrompo. — Por favor, vá para casa.

— Se você estiver encrencada, quero ajudar.

Balanço a cabeça, com tristeza.

— Cody, não há nada que você possa...

— Na verdade — Zen se coloca a meu lado —, pode haver algo em que ele nos seja útil.

Os olhos de Cody se iluminam. Penso que é em parte por medo de Zen e em parte pela expectativa do que ele dirá.

Olho com reprovação para Zen.

— O que é?

Zen olha esperançoso de mim para Cody.

— Bem que a gente podia ter um carro.

31
GUIADA

❖

Vejo Cody passar cautelosamente por cima de vários corpos inconscientes e prostrados no chão, curvando-se para examinar cada rosto. A cena diante de mim é assustadora. A sala de estar desta casa desconhecida a que Cody nos trouxe está coberta de sacos plásticos, restos de comida, latas de alumínio, várias peças de roupa e, o mais enervante de tudo... gente.

Eles parecem mortos.

E de imediato sou lembrada da água.

Despertando em uma vastidão salgada. Cercada por um oceano cheio de passageiros mortos de um avião.

E percebo que ainda não sei como acabei entre eles.

Ainda não sei muita coisa.

Mas, pela primeira vez desde que despertei naqueles destroços flutuantes, estou otimista e acho que enfim minhas perguntas serão respondidas.

Puxo o ar incisivamente.

– Eles estão mortos? – pergunto, com medo da resposta que possa ouvir.

Mas só o que ouço é riso. O riso de Cody.

– Mortos? – repete ele. – Não, só desmaiados.

– Desativados? – tento esclarecer, lembrando-me do estranho dispositivo que Rio me mostrou.

Cody ri de novo. Desta vez até Zen se junta a ele. Mas seu riso é de natureza muito mais desdenhosa.

– Claro – concorda Cody. – Desativados. É o que beber a noite toda faz com você.

Espio o ambiente mais uma vez.

– Beber?

– É. Sabe, tipo álcool. – Cody se agacha e olha atrás de uma almofada quadrada e vermelha que cobre a cara de um dos corpos inertes. Também arrisco um olhar. O jovem parece ter a idade de Zen. Tem cabelo castanho um pouco comprido que parece agir como uma espécie de armadilha, porque há vários pedaços de comida laranja agarrados ali. Assim que a almofada é retirada, ele geme para a súbita explosão de luz do dia e, desajeitado, puxa o cabelo para cobrir os olhos.

Sua mão cai em um dos objetos laranja e, sem abrir os olhos, ele o pega do cabelo e coloca na boca, mastigando languidamente.

Cody revira os olhos.

– Um amigo me contou que o irmão mais velho vinha a uma festa aqui na noite passada. – Ele passa por cima de alguém deitado em um sofá próximo e se curva para ver o rosto, fazendo uma leve careta com o que vê. – E pelo jeito foi das grandes.

Ele se levanta e se vira para mim, encontrando minha expressão confusa.

– Deixa eu adivinhar. Você também não se lembra de álcool?

Olho para Zen, esperando que ele me ajude, mas ele simplesmente abre um sorriso rápido que não consigo interpretar.

– Não – admito. – Não me lembro. O que é?

– É uma substância que faz você agir como um completo cabeça de merda – explica Cody.

Abro a boca para perguntar o que ele quis dizer, mas Zen se intromete.

– É uma gíria para quem é mau ou grosseiro.

– Ou está no ensino médio – diz Cody, dando de ombros. Ele se abaixa e pega uma das latas de alumínio vazias que foram esmagadas no meio. – Está vendo? – Cody ergue a lata para mim. – Isto é cerveja. Uma forma muito comum de álcool. Algumas pessoas bebem para relaxar. Já outras – ele gesticula para o grupo de adolescentes desativados –, como esses idiotas, bebem para ficar ainda mais idiotas.

– Estou com a sensação de que você não gosta dessas pessoas – observa Zen.

Cody passa por cima de outro corpo e vira a cabeça de lado para ver o rosto da garota.

– Como você adivinhou?

Olho para baixo e de imediato reconheço a menina sobre a qual Cody está parado. É Lacey, do provador do shopping. E está com a mesma saia que a vi segurar quando ela desapareceu na cabine com as amigas.

Mas, por algum motivo, ela não veste uma blusa. Só a saia, um cinto branco – presumivelmente aquele que a amiga recomendou – e sutiã.

Balanço a cabeça, confusa, perguntando-me se um dia vou entender os adolescentes normais.

– Está procurando por alguém em particular? – pergunto a Cody.

– Ahã – murmura ele, seu tom de imediato ficando mais hostil. Ele levanta a aba do boné de alguém que dorme na mesa da sala de jantar e exclama: – Arrá! Aqui está ele.

– Quem? – pergunto, aproximando-me e examinando as feições do garoto. Não me parece conhecido.

– Trevor Stoltz. O maior imbecil de todos. E também o mais rico.

Cody se curva para perto do rosto de Trevor e faz uma careta, como se sentisse um cheiro extremamente desagradável.

— Agora não está tão durão, né, *Trevor*? — Ele pronuncia o nome com um nojo inconfundível.

— Com licença — diz Zen, aproximando-se. — Mas como exatamente isso vai nos ajudar a conseguir um carro?

A língua de Cody sai da boca enquanto ele se concentra em meter a mão no fundo do bolso da calça de Trevor. O rapaz nem mesmo se mexe. Ao que parece, o álcool é um desativador muito forte.

Um instante depois ele retira um chaveiro e o suspende no alto.

— O Porsche muito caro e muito *rápido* de Trevor Stoltz. Um presente do papai. O passatempo preferido dele é perseguir alunas da escola com ele pela rua.

Olho de Zen para Cody.

— Tem certeza disso?

Cody se limita a dar de ombros.

— O cara vem me atormentando há *anos*. Ele me deve uma.

Zen e eu seguimos Cody para fora da casa adormecida. A entrada está cheia de carros, mas é fácil localizar aquele que combina com essa chave. Nem mesmo sei o que é um Porsche, mas de imediato me salta aos olhos o veículo vermelho-vivo, de aparência esportiva, estacionado torto no gramado. É o único que eu descreveria como "caro e rápido". A coisa simplesmente *parece* veloz.

Zen aperta o botão no chaveiro e o farol do carro pisca. Ele corre à porta do motorista e a abre, jogando-se no banco. Mete a chave na ignição, depois todo seu corpo murcha de decepção.

— Qual é o problema?

— O câmbio é manual. Não sei dirigir isto. — Zen fecha os olhos, depois bate a mão no volante.

Toco seu braço.

— Está tudo bem. Vamos achar uma saída. Talvez encontrar outro carro em algum lugar.

Ele balança a cabeça.

— Não, não dá tempo. — Rapidamente ele passa a mão pelo console e abre um compartimento do lado do passageiro.

— Você vai ter que dirigir.

— Eu? — pergunto, olhando horrorizada enquanto ele pega um livreto brilhante e retangular.

Zen me entrega o manual e sai do carro, gesticulando para o banco agora vazio do motorista.

— Vamos. Sente-se ao volante. Rápido.

Estou completamente perplexa com sua ordem, mas seguro com relutância o livreto e me coloco no banco do motorista enquanto Zen dá a volta para o lado do carona.

— Mas — protesto assim que ele se senta —, eu não sei dirigir.

Ele assente para o livro em minha mão.

— Não sabe ainda.

Olho para ele, perplexa.

— Do que você está falando?

Cody mete a cabeça pela minha porta aberta.

— Qual é o problema? Por que vocês não vão embora?

Zen ergue a mão para que ele se cale.

— Está tudo bem. Ela só está tendo um curso intensivo de direção.

Jogo o livro no colo de Zen como se estivesse em brasa e queimasse minha pele.

— Não. Eu nunca dirigi na vida.

— Sera — alerta ele, devolvendo-me o livro —, é o jeito mais rápido de sair daqui. Vai demorar demais para que eu aprenda a dirigir com marcha. Você pode aprender em questão de segundos.

— Sera? — repete Cody. — Este é seu nome verdadeiro?

Dou de ombros.

– Acho que sim.

Ele assente em aprovação.

– Gostei.

Zen solta um gemido.

– OK, OK, mas não temos tempo nenhum para isso. Sera, leia!

– Mas – volto a protestar, folheando o livro do início ao fim. As páginas passam em um borrão. São umas trezentas. – Vou precisar de *horas* para ler tudo isso. E ainda mais entender tudo. Não posso simplesmente...

Fico petrificada, minha voz estacando. O livro cai em meu colo enquanto uma explosão de imagens invade minha mente, abalando todo o meu corpo.

Não sei como é possível, mas de repente sei exatamente o que fazer. Meus braços e pernas agem por vontade própria. Meu pé direito desce fundo no freio enquanto o esquerdo solta a embreagem.

Espere um minuto, o que é uma embreagem?

A voz em minha cabeça responde antes que eu tenha terminado a pergunta.

É o pedal que engata a transmissão.

E então meus braços se mexem. Sem que meu cérebro precise me dizer o que fazer. A mão esquerda segura o volante, enquanto a direita gira a chave na ignição e rapidamente coloca a marcha em primeira.

Apavorada com meus atos involuntários, lanço as mãos para cima e tiro os pés dos pedais. O carro tem um solavanco violento, jogando minha cabeça no banco, e o motor engasga e morre.

Cody sai do caminho.

– Epa!

– O que foi isso? – pergunto, com a voz e as mãos tremendo.

Zen sorri com malícia.

– Você leu o manual do proprietário.

Olho o livro reluzente em meu colo e balanço a cabeça.

– Não. Não li.

– Ela não leu. – Cody me dá apoio. – Eu vi. Ela só folheou.

Zen ri baixinho.

– Acredite em mim, você leu.

– Ele tem razão. – Aponto para Cody. – Eu só folheei.

– Quantas páginas ele tem? – pergunta Zen, erguendo as sobrancelhas como se me desafiasse.

Sinto a garganta se apertar.

– Trezentas e vinte e duas.

Cody bufa.

– Bem, essa é moleza. – Ele estende a mão pela porta ainda aberta e pega o manual no meu colo. – As páginas obviamente são numeradas... – Mas sua voz falha enquanto ele vira a última página e sua boca se abre.

Pego o livro da mão dele.

– Que foi? – Olho a última página e de imediato entendo a reação de Cody.

Para meu assombro, o número 322 não está escrito no canto inferior. Em vez disso, aparece o número 10-18.

O livro é rotulado em seções. E subseções. Não em páginas.

– Como você sabe que tem 322 páginas aí? – pergunta Cody.

– Eu contei – respondo baixinho.

– Ninguém consegue contar tão rápido – argumenta ele.

Zen continua em silêncio, esperando que eu enfim compreenda. E embora eu comece a entender, ainda não consigo me convencer a acreditar.

– É impossível – argumento sem muita convicção. – De jeito nenhum eu posso ler uma coisa só de passar os olhos por ela em uma fração de segundo.

— Como é impossível para você falar vários idiomas estrangeiros e fazer cálculos enormes de cabeça e...

— Está bem! – digo, querendo apenas que ele pare de falar. – Já entendi. – Engreno de novo o carro, piso no freio e giro a chave na ignição, desesperada para que o barulho do motor afogue a voz de Zen... e meus próprios pensamentos. – Vamos sair daqui.

Cody, ainda boquiaberto e de olhos arregalados, afasta-se desorientado do carro enquanto eu seguro a maçaneta da porta.

— Espera! Quase esqueci. – Ele tira do bolso um celular. – Toma. Você pode precisar disso. – Ele o joga no carro. Cai suavemente em meu colo, por cima do manual do proprietário. – Peguei do meu bom amigo Trevor. Adicionei meu número aos contatos, só por precaução.

Coloco o telefone em um dos bolsos da calça.

— Obrigada, Cody – digo com sinceridade. – Por tudo.

Bato a porta, engreno a primeira marcha de novo e arranco o carro disparando pela grama, deixando uma nuvem de fumaça e um borrifo de poeira visível no retrovisor.

32
OBSTÁCULOS

❖

— **Para onde vamos? — pergunto.**

Já estamos rodando há vinte minutos e Zen não falou uma palavra além de me dizer onde virar, quando acelerar e ultrapassar outros carros e como ler as placas nas laterais da rodovia. Porque o manual do proprietário do Porsche, embora tenha me ensinado a operar o carro, não me ensinou nada das regras de trânsito.

— Para algum lugar que possamos escapar do radar — responde ele.

— Como escapamos do radar?

Zen aponta uma placa que diz 90.

— Este é o limite de velocidade.

Olho a velocidade no painel — 130 — e piso suavemente nos freios.

— Primeiro — responde ele —, é melhor não levarmos nenhuma multa por excesso de velocidade. Você não tem habilitação e eles estarão monitorando os relatos da polícia e as transmissões de rádio.

— A Diotech? — confirmo.

Ele assente.

— Mais importante, porém, temos que manter você longe da imprensa. E de enxeridos de modo geral. Não podem tirar nenhuma fotografia sua. Qualquer coisa que for postada na internet ou em qualquer mídia pode ser usada para rastrear sua localização. Eles também estarão monitorando isso. Assim, temos que encontrar um lugar distante para nos esconder. Acho que se formos para o interior, podemos acampar por um tempo no deserto.

— Até quando? — pergunto.

— Até que eu pense num jeito de tirar a gente daqui.

Balanço a cabeça, reduzindo para quinta.

— Mas, se eles podem me encontrar em qualquer lugar, aonde devemos ir? Como vamos escapar deles?

Zen segura minha mão na alavanca de câmbio.

— Nós podemos — garante Zen. — Eu só preciso de algum tempo.

— Tempo para fazer o quê?

— Sera — começa ele, a voz ficando muito solene e séria —, aconteceu uma coisa quando tentamos fugir.

— Quer dizer o fato de que perdi toda a minha memória?

Ele suspira.

— Sim, *isso*... embora eu ainda não saiba muito bem *como* você a perdeu.

Olhei-o pelo canto do olho.

— O que quer dizer? A Diotech não a roubou?

Ele balança a cabeça.

— Desta vez, não. Pelo menos eu acho que não. Você estava ótima naquela manhã, antes de fugirmos. Sua memória estava intacta. Ou tão intacta quanto poderia estar, em vista das circunstâncias. Tenho certeza de que a Diotech não mexia em seu cérebro há semanas. O que significa que algo deve ter acontecido entre o momento em que saímos e aquele em que a encontrei no hospital.

— Não entendo — queixo-me. — Se não foi a Diotech, o que pode ter acontecido com a minha memória? E como acabei flutuando no mar com um monte de destroços de avião, se eu nunca *entrei* no avião?

— Aí é que está a questão. — Zen esfrega o queixo com ansiedade. — Eu não sei. Estive tentando ao máximo entender isso, mas não consigo. Só sei que algo saiu errado. Você não devia estar no local do acidente. Devia estar *comigo*. Mas, de algum jeito, acabou ali e eu terminei... lá.

Franzo a testa.

— O que você diz não faz muito sentido.

— Eu sei. Desculpe. — Ele suspira. — Só preciso pensar num jeito de explicar a você.

Ele cerra os lábios com tanta força que ficam brancos quando abre a boca para falar:

— Depois que descobrimos o que a Diotech estava fazendo... no que você estava envolvida... entendemos que precisávamos ir para o mais longe possível dali. Era o único jeito de você ter uma vida normal e nós ficarmos juntos. Porque estava claro que eles não iam permitir que isso acontecesse.

Concordo com a cabeça.

— Então, tentamos fugir do complexo. Você já me contou isso.

— Contei. Mas nosso plano de fuga era muito mais complicado do que isso.

—Tudo bem — eu o encorajo.

Ele visivelmente se esforça, entrelaçando as mãos.

—Talvez eu deva começar com um poema.

Olho avidamente para ele.

— Poema?

— Sim. O soneto 116. Lembra?

— "Que para a união de almas sinceras eu não admita impedimentos..." — recito em voz baixa.

Zen sorri e sinto que ele relaxa um pouco.

— Cody disse que fala do amor eterno — eu o estimulo.

— Fala mesmo — sussurra Zen. — Fala do amor constante e imutável. Que ninguém pode atrapalhar. — Ele para e olha pela janela. — Eles implantaram muita coisa em seu cérebro. Idiomas, habilidades matemáticas, tudo que pensavam que alguém precisaria para ser considerado excepcionalmente inteligente. Mas deixaram de fora muita coisa importante.

— Como a poesia? — adivinho.

Ele suspira.

— É. Como a poesia. E a capacidade de compreendê-la. Eu costumava levar poemas e ler para você quando ia vê-la. Passávamos horas decifrando. No início, você tinha muita dificuldade para entender. Tomava tudo ao pé da letra. Como um computador. Levou algum tempo para aprender a ligar suas próprias emoções às palavras de outra pessoa. Essa foi uma das coisas que ensinei a você.

— E o soneto 116?

— O soneto 116 era o seu preferido.

Sinto meus dedos apertarem o volante. O silêncio no carro é quase denso o bastante para ser tocado.

— Mas um dia acabou virando mais do que isso — explica ele. — Tornou-se a inspiração para um plano muito complicado.

Bipe!

O carro faz um som estranho e eu dou um pulo no banco. Zen se curva e olha o painel.

— Estamos ficando sem gasolina. Você deve pegar a próxima saída.

Misturo-me à pista da direita e dou uma guinada para o próximo acesso. Zen me orienta até o posto de gasolina. Estaciono na frente da máquina que Zen chama de bomba e desligo o motor.

— Vou lá dentro pagar pela gasolina e comprar um lanche — diz ele. — Imagino que você esteja com fome.

Meu estômago ronca assim que ele fala e eu rio.

— Acho que sim.
— Espere aqui. Não saia do carro.

Vejo-o desaparecer na construção, depois me recosto no banco e tento respirar fundo. Tudo o que aprendi, nos últimos dois dias, nada freneticamente na minha cabeça, tentando encontrar terra firme.

Uma batida na janela me assusta e me viro, esperando ver Zen. Em vez disso, vejo uma estranha. Uma jovem.

Ela sorri animadamente e dá pulinhos.

— Você é aquela garota! — Ouço seus gritos mesmo através do vidro. — Aquela que sobreviveu ao desastre de avião!

Depois há um forte clarão e observo apavorada enquanto ela baixa o celular e começa a digitar alguma coisa.

— Eu *preciso* tuitar isso!

Ela se vira e se afasta, com o andar saltitante.

Tuitar?

Zen me avisou para ficar no carro. Mas também me avisou para *não* ser fotografada por ninguém. E foi exatamente o que acabou de acontecer.

Saio do carro e conto a ele?

Não. Preciso esperar até que ele volte.

Não tem como acontecer nada nos poucos minutos necessários para ele pagar pela comida e a gasolina. Mesmo que a Diotech consiga rastrear a fotografia da garota, já estamos dirigindo há 30 minutos. Eles levariam o mesmo tempo para chegar aqui. Se não mais.

Não é mesmo?

A resposta vem quase de imediato. Um tremor faz cócegas por dentro de meu punho. Olho a tatuagem. Está vibrando de novo. O que só pode significar uma coisa.

Olho pelo retrovisor e vejo dois homens de preto se aproximando do carro. São os mesmos que estavam prostrados e inconscientes no chão do estábulo na noite passada.

E eles parecem mais decididos do que nunca.
— Sera! — Ouço a voz em pânico de Zen pairar pelo estacionamento. Viro-me e vejo que ele saiu do posto de gasolina, a uns 150 metros de distância. Vejo vários objetos caindo de seus braços e batendo no chão enquanto seus olhos se arregalam de pavor. Agora tudo o que ele diz para mim é:
— Corre!

33
DESERTADA

❖

Eu faço o que ele pede. Mas não corro para longe. Corro em sua direção, saindo do carro e atravessando o estacionamento em questão de segundos. Os homens me perseguem, mas sua velocidade limitada me dá uma vantagem considerável.

— Você precisa sair daqui. — Zen me fala com urgência. — Vá para o mais longe que puder.

Balanço a cabeça, olhando as figuras ameaçadoras que se aproximam.

— Não posso deixar você aqui sozinho.

— Sera — a voz de Zen é sombria e grave —, eles não querem a mim. Querem você. E eu só vou te deixar mais lenta. Você pode ultrapassá-los. Eu não. — Ele olha o carro. — Vou pegar a arma no porta-luvas para tentar distraí-los. Fique a pelo menos três quilômetros, para que eles não consigam rastrear.

— Mas...

— Eu vou encontrar você. Prometo. — Zen coloca a mão em meu quadril por um breve momento. Depois me empurra. — Agora... *VAI!*

Baixo a cabeça e disparo para frente, entregando meus pensamentos, minhas dúvidas, meu medo ao poder de minhas pernas. Minhas pernas rápidas, perfeitas e duvidosamente humanas.

Elas não me decepcionam.

O ambiente zumbe num borrão enquanto manobro atrás do posto de gasolina e parto para a vasta planície ao longe. A paisagem montanhosa e arborizada lentamente se transforma no deserto. O sol do início da tarde é quente, batendo em meu rosto e nos ombros expostos, mas isso não reduz meu passo.

Tiro um instante para olhar para trás. Um dos homens me persegue. Mas ele não é tão rápido. A cada segundo que passa, coloco mais 15 metros entre nós. O outro homem está...

Não o vejo.

E então ouço o *bang!* mais alto que já ouvi na vida. O barulho me assusta e solto um gemido baixo.

Nauseada e com um pressentimento sombrio, reduzo, paro e olho o posto de gasolina, estreitando os olhos contra o sol forte. Só consigo distinguir o segundo homem, cambaleando pela lateral da construção. Ele anda com dificuldade e, num exame mais atento, vejo que arrasta alguma coisa.

Ele entra e sai do meu campo de visão enquanto contorna uma série de caçambas pretas de lixo. Quando verifica a última, finalmente consigo ver o que está rebocando.

E, apesar do calor escaldante, todo o meu corpo vira gelo.

Não.

Não pode ser.

Dou um passo para a frente, na esperança de que a mais leve mudança de algum modo altere drasticamente minha perspectiva. Que transforme o que vejo em algo menos horrendo.

Mas não é o que acontece.

Exatamente como as lembranças naquele cubo prateado e minúsculo, não consigo alterar nada. Só posso ver o que está ali. Estou impotente para fazer algo a respeito.

Vejo o homem levantar o corpo inconsciente e meter a mão sob suas axilas, antes de continuar a levá-lo pelo estacionamento asfaltado.

Desta distância toda – quase um quilômetro e meio –, o corpo é mínimo. Não é muito maior do que um inseto. Mas não há como negar a quem pertence.

– Zen! – grito, depois tapo a boca rapidamente.

Estará ele morto? Ou só desativado? Será que usaram nele o mesmo dispositivo que usaram em mim? Ou o barulho alto que ouvi foi o disparo da arma de Zen?

Ah, por favor, não deixe que ele morra.

Jamais conseguiria sobreviver sabendo que o mataram. Por minha causa. A culpa sem dúvida vai me matar também.

Preciso voltar para ele. Tenho que fazer alguma coisa. Não posso só ficar aqui, olhando.

Altero o peso do corpo, preparando-me para correr de volta ao posto de gasolina. Mas sinto um chiado no punho que me deixa petrificada. Minha tatuagem. Está pulsando de novo.

Ouço a aproximação de passos pesados. Acompanhados de uma respiração entrecortada e tensa. Meu perseguidor identificou minha localização e agora se aproxima de mim.

Dou uma última olhada saudosa no corpo sem vida de Zen e parto. Vou para o deserto carmim que se esparrama à minha frente. Meus olhos ardem das lágrimas enquanto corro.

O terreno é acidentado – um amontoado de pedras, montes e buracos pequenos. Meus tornozelos se torcem um pouco para todo lado a fim de manter o corpo estabilizado enquanto percorro o terreno irregular. Mais uma vez, fico assombrada com a facilidade com que consigo fazer isso. O pouco esforço que meu corpo exige. Depois de correr por trinta minutos à velocidade máxima, minha respiração é tranquila e regular. Meus músculos ainda são fortes e ágeis. Parece que posso correr durante dias e jamais me cansar.

Não sigo em linha reta. Fico em ziguezague, alterando o rumo aleatória e frequentemente a fim de não ser seguida.

Depois de ter certeza de que ele não está mais atrás de mim, eu paro.

Estou no meio do nada. Uma extensão de espaço silencioso. Sem uma alma a quilômetros. O vento sopra, açoita meu cabelo e jogando pedrinhas em minhas pernas e nos braços expostos. O ar é seco por aqui. E carregado de poeira. Minha garganta arde.

Caio de joelhos e coloco a testa na areia escaldante.

As lágrimas jorram numa torrente, precipitando-se diretamente dos olhos para a terra, criando pequenas poças de lama abaixo de mim. Por mais que tente me recompor e raciocinar, não consigo parar de chorar.

Não consigo parar de imaginar o corpo de Zen arrastado pelo estacionamento.

Eu podia ter feito alguma coisa. Podia ter ficado e lutado. Já sei que sou mais forte do que eles. Então, por que fugi? Por que dei ouvidos a Zen?

Por que escolhi salvar a mim mesma quando podia ter salvado a nós dois?

Será de fato por causa de meu DNA? Porque algum cientista me programou para fugir? Não suporto essa ideia. Não suporto pensar que Zen pode estar morto porque fui fraca demais para desafiar meus impulsos.

Que sentido tem lembrar-se de alguém só para perdê-lo de novo? Que sentido tem se agarrar a algo só para que ele seja arrancado de você?

Meus olhos ardem. A cabeça lateja. Tudo está rodando.

Caio de lado e me enrosco em uma bola, abraçando os joelhos ao peito, implorando que alguém – *alguma coisa* – apareça e tire este momento de mim. Que o roube de minha memória. Que guarde em um lugar que eu jamais encontre.

Não me importo.

Só quero esquecer.

Fico assim por um bom tempo – horas, talvez, não sei –, mas não aparece ninguém.

A lembrança do corpo sem vida de Zen se fixa em meu cérebro. Condenada a ser repassada em um ciclo interminável. A me torturar para sempre.

Por fim, uma voz surge do fundo da minha mente ordenando que eu me levante. Que pare de chorar e formule um plano.

Mas me parece inútil.

Não sei nada sobre essas pessoas ou do que elas são capazes. Não tenho nenhuma informação para reagir de acordo. Se Zen ainda estiver vivo, o que farão com ele? Para onde o levarão? Nem mesmo sei por onde começar a procurar.

Você está errada, argumenta a voz.

É o bastante para me fazer sentar, enxugar as lágrimas e tirar a terra do rosto.

– Estou? – pergunto em voz alta.

Você sabe exatamente para onde o levariam, responde a voz.

E de pronto percebo que a voz dentro de mim tem razão.

Eu *sei*. Eles o levariam ao lugar de onde ele veio. De volta ao lugar onde nos conhecemos. Onde líamos poesia juntos. O lugar de onde tentamos fugir.

O complexo da Diotech.

Nesse instante, sei que preciso ir lá. Se ele estiver vivo, preciso ajudá-lo. Não sei de onde vem essa necessidade obstinada, mas ela existe. Não é algo que eu possa tocar, definir ou mesmo recordar. Entretanto, confio cegamente nela. É uma parte inegável de mim. Uma potência contra a qual não posso lutar. Não importa a força que eu tenha. Um poder do qual não posso fugir. Por mais rápida que eu seja.

É como se eu não tivesse alternativa.

Coloco-me de pé e tiro o celular do bolso.

Quando procurei pela Diotech na internet, não encontrei nada. Mas talvez haja algum motivo para o complexo da Diotech não estar na internet. Se eles são tão sigilosos como Zen descreveu, talvez não divulguem seu paradeiro de propósito.

Ou talvez eu simplesmente não saiba procurar por ele. Pode haver outro jeito. Um jeito melhor.

Se existir, só consigo pensar em uma pessoa que saberá.

Mexo nos vários menus da tela do celular até encontrar o que procuro. Uma entrada na agenda que diz Cody.

Aperto Chamar e coloco o telefone na orelha.

– Alô? – Escuto a voz conhecida depois do segundo toque. O som me reconforta.

– Cody – digo, fungando. – Sou eu. Preciso de sua ajuda.

Há um silêncio perplexo e depois: "Já?"

Solto uma risadinha fraca e cansada.

– Algo deu errado. Alguém... – procuro pela palavra certa; ela aparece em minha cabeça uma fração de segundo depois, parecendo adequada demais, em vista de quem está do outro lado da ligação – sequestrou Zen.

– Como é? – Cody dá um grito.

– Você pode vir me encontrar? – suplico, desesperada.

Cody suspira.

– Tudo bem. Me diz onde você está. – Ele me conduz passo a passo pelo processo de usar o GPS do celular para identificar minha localização.

– Tá legal – diz ele, depois que foi determinado que estou a cerca de cinco quilômetros de uma cidade chamada Bakersfield. – Tem um trem que passa por aí. Vou tentar pegar o próximo. Me encontre na lanchonete ao lado da estação em duas horas.

– Está bem – concordo. – E, Cody?

– Oi?

—Traga seu laptop. Preciso de ajuda para encontrar um complexo ultrassecreto.

Ouço Cody rir baixinho e consigo imaginá-lo revirando os olhos enquanto resmunga:

— Eu devia ter ficado no acampamento de ciências.

34
INCOMPLETA

◆

Não tenho nenhum disfarce para me proteger de quem me encara inquisitivamente, nem dos olhos errantes, assim pego uma mesa no fundo, jogo o cabelo no rosto e tento ficar de cabeça baixa para evitar olhares.

A última coisa que quero é ser reconhecida – e fotografada – de novo. Começo a ver um padrão muito desconcertante. Das últimas duas vezes em que fui fotografada, aqueles homens horripilantes de preto de algum modo conseguiram aparecer quase de imediato.

Quando saí da lanchonete e os furgões surgiram e repórteres de noticiários tiraram fotos minhas, vi o homem da cicatriz assim que tentei correr. E mais uma vez, algumas horas atrás, no posto de gasolina: no segundo em que aquela garota tirou minha fotografia com o celular, eles apareceram. Ao que parece, do nada.

Tiro do bolso o celular que Cody roubou para mim e coloco na mesa, caso ele tente ligar. Depois puxo a gola da camiseta e tiro o medalhão de dentro da blusa.

Seguro o pingente de coração, acariciando gentilmente as ranhuras do fecho e a superfície em alto-relevo do símbolo na frente – o nó infinito – e a ponta dos meus dedos roça a gravação no verso.

S + Z = 1609.

Tenho certeza de que S e Z significam Seraphina e Zen. E 1609 deve ser uma referência ao poema. Ao nosso poema.

O soneto 116. Publicado pela primeira vez em 1609.

Zen disse que era o meu preferido. E agora sei por quê.

Porque fala de nós dois.

Apesar de as peças começarem a se encaixar lentamente, ainda há questões insistentes que não consigo responder. Por exemplo, por que Zen gravaria o ano em que o poema foi escrito no verso do medalhão? Por que não 116 depois do nome do poema? Ou uma palavra-chave do poema? Uma referência mais direta.

O que o ano de publicação do poema tem a ver com alguma coisa?

Apesar das informações que consegui coletar, meus instintos me dizem que ainda não vejo o quadro completo. Que ainda falta uma peça muito grande. Talvez até mais de uma.

E agora tenho medo de jamais encontrá-la.

Talvez eu nunca tenha mais do que uma história semiacabada e um medalhão vazio.

Passo o dedo pelo fecho, preparando-me para abri-lo e dar uma espiada em seu interior vazio, quando ouço passos se aproximando da minha mesa. Levanto a cabeça e vejo Cody parado diante de mim. Meto o medalhão por baixo da blusa e me levanto num salto, passando os braços pelo seu pescoço.

– Ai, obrigada! – exclamo. – Muito obrigada por vir!

Meus atos claramente o pegam de surpresa, porque seu corpo fica muito rígido e ele me dá uns tapinhas desajeitados nas costas até que eu o solto.

– Como foi que você escapou dos seus pais? – pergunto.

Ele dá de ombros como se a solução fosse fácil.

— Eu disse a eles que ia passar a noite na casa do Marcus. — Ele aponta a entrada com o polegar. — Onde está o carro de Trevor? Não vi lá fora.

Retraio-me, aquela desagradável sensação de culpa esgueirando-se para o peito.

— Desculpe, Cody. Tive que abandoná-lo.

— Onde?

— Num posto de gasolina.

Cody torce os lábios, concentrado.

— Você vai ficar encrencado? — pergunto ansiosamente.

Ele balança a cabeça.

— Duvido muito. Trevor não sabe que fui eu que peguei a chave. Além disso, a polícia vai encontrar o carro logo. Provavelmente estará de volta a Wells Creek antes mesmo que ele note que sumiu. — Cody aponta o balcão com a cabeça. — Quer alguma coisa para beber?

Volto a me sentar, aliviada.

— Tudo bem.

— O que você quer?

Balanço a cabeça.

— Pode escolher alguma coisa para mim?

— Claro. — Ele vai à caixa registradora, e volta alguns segundos depois. — Ah, quase esqueci — disse, pegando a mochila. — Trouxe isto para você. — Ele retira o familiar boné azul-marinho e branco de Scott e me entrega.

Solto um suspiro fundo de alívio e pego o boné, enterrando bem na cabeça e puxando a aba para baixo. Já me sinto mais segura. Como se não fosse só um boné, mas uma armadura corporal completa que me protege do mundo cruel e de todas as pessoas que carregam câmeras.

— Obrigada! — repito.

— Achei que você ia precisar. Sua foto já estava em todos os noticiários de hoje.

Aquele calor de estar a salvo se desintegra imediatamente e sinto o coração martelar.

— Como é?

— É isso aí — garante Cody, apontando para um televisor instalado perto do teto, no canto da cafeteria. — A assistência social soltou um comunicado de imprensa. Agora todo mundo está procurando por você.

Meneio a cabeça sem acreditar enquanto olho a televisão. Exatamente como disse Cody, meu rosto está ali. Preenchendo metade da tela. É a mesma foto que mostraram logo depois do acidente. Quando eu estava presa no hospital. Como se nada tivesse mudado.

Quando na realidade tudo mudou.

Cody sai para pegar nossas bebidas e continuo vendo a TV. O som foi emudecido, mas vejo palavras rolando pela base da tela:

> A Desaparecida, também conhecida como Violet, única sobrevivente do acidente do voo 121 da Freedom Airlines, sumiu da casa de sua família adotiva esta manhã. As fontes acreditam que ela possa ter fugido, mas ainda não há nada confirmado. A Assistência Social, em sua declaração oficial à imprensa, afirmou que a menina de dezesseis anos corre perigo sozinha por ainda não ter recuperado a memória. A polícia da Califórnia lançou uma busca por todo o estado e qualquer um que tenha informações deve telefonar para o número que aparece nesta tela.

Minha mente gira enquanto vejo o texto passar.

A Assistência Social é a organização que me colocou com os Carlson. Será que estão trabalhando com a Diotech? Eles fazem parte disso?

Não. Impossível. Caso contrário, simplesmente teriam me entregado à Diotech no momento em que me retiraram do mar. E não me colocado em uma família adotiva.

As duas entidades devem ser separadas.

Somando com a polícia da Califórnia, são três grupos de pessoas procurando por mim.

Há algum jeito de as coisas ficarem mais complicadas?

Por instinto, puxo ainda mais para baixo a aba do boné, cobrindo meu rosto.

Cody retorna alguns minutos depois com dois copos fumegantes de bebida. Empurra um pela mesa para mim. Pego o copo e cheiro. Tem um odor doce e picante.

– O que é isso? – pergunto.

– Chai com leite – responde Cody. – É o que minha mãe mais gosta. E um monte de garotas da escola também, então acho que deve ser coisa de garota.

– Coisa de garota? – repito com ceticismo.

– Desculpe. Uma coisa de *mulher*. – Ele pronuncia *mulher* de um jeito engraçado que me faz rir.

É bom.

E, só por um momento, quase esqueço por que estamos aqui. Mas nessa hora Cody pega o laptop na mochila e coloca na mesa entre nós e sou arrastada de volta à realidade de nosso encontro.

Zen.

Ele sumiu. E cabe a mim encontrá-lo.

Relutante, tomo um gole da bebida. É deliciosa. Mas não consigo desfrutar. O sabor parece vazio em minha boca.

Tudo parece vazio sem Zen.

Cody toma um gole da própria bebida e de imediato passa a trabalhar no computador.

– Tá legal, me fala desse seu complexo secreto.

– É uma instalação de pesquisa de uma empresa chamada Diotech.

— Diotech? — pergunta Cody com curiosidade.
— Já ouviu falar deles?
Ele balança a cabeça.
— Nem uma palavra.
Meus ombros arriam.
— Ah.
— Mas isso não significa nada — acrescenta ele rapidamente, parecendo sentir minha decepção e tentando me tranquilizar. — Quer dizer, estamos nos Estados Unidos. Tem tipo um bilhão de corporações por aqui. Ninguém tem conhecimento de todas. O que você sabe sobre eles?

Abro a boca para falar, mas rapidamente a fecho, optando por outro gole da bebida. Estou indecisa sobre quanto devo contar a Cody. Se eu contar tudo o que sei sobre a Diotech — tudo de que Zen me falou —, talvez tenha uma possibilidade maior de encontrá-la. Ou encontrar Zen. Porém, se eu falar demais, posso colocar Cody em perigo.

A última coisa que quero é inadvertidamente prejudicar Cody. Se esse pessoal da Diotech é tão mau como Zen me contou, não posso colocar Cody nisso de modo algum. Estou dividida entre meu desespero para encontrar Zen e meu impulso de proteger Cody. Ele pode ser só um irmão mais novo temporário, mas ainda o vejo como família.

Além disso, eu nem sei se entendo completamente o que é a Diotech. Ou o que eles fazem. Só tenho fragmentos estranhos de informações.

Só o que eu sei é que fizeram alguma coisa comigo.

Algo que fez de mim quem eu sou. Ou *o que* eu sou.

Algo horrível o bastante para que eu deseje fugir.

Mas até que eu entenda do que se trata, talvez seja melhor me ater aos detalhes mais simples. Aqueles dos quais tenho mais certeza.

— É uma espécie de conglomerado de tecnologia — digo a ele com cautela, repetindo as palavras que Zen usou na descrição da empresa pela primeira vez. – Parece que se localiza em uma área remota. Longe da civilização.

Penso na memória que vi. A brisa quente e seca que ressecou minha garganta.

– Talvez no deserto. É só isso que sei.

Cody assente e começa a digitar. Meu estômago fica agitado ao ver seus dedos voando pelo teclado. Tomo um longo gole de meu chai com leite e espero.

Alguns minutos depois, Cody se recosta e franze a testa para a tela.

– Ué, que coisa esquisita.

Sento-me mais reta.

– Que foi?

– Achei uma coisa, mas não faz sentido.

Estico o pescoço para ver a tela.

– O que você encontrou?

Cody dá de ombros.

– Um post em um site de uma teoria da conspiração qualquer de um cara chamado Maxxer. Mas é um monte de baboseira.

Solto um suspiro. Foi exatamente o que encontrei quando fiz a busca ontem à noite. Estou prestes a tomar outro gole da bebida quando algo na página da internet que Cody está olhando chama minha atenção.

– Que foi? – pergunta ele, vendo minha expressão. – Qual é o problema?

Mas não respondo. Baixo a bebida e me curvo para mais perto, examinando atentamente a tela. À primeira vista, *parece* o post que encontrei ontem. Mas há uma diferença muito nítida.

Abaixo do post, na linha que diz *Tags*, aparece uma nova série de palavras:

Diotech, conglomerado de tecnologia, remoto, deserto.

Fico de queixo caído.

São os exatos termos de busca que acabei de dar a Cody um minuto atrás. Mais uma vez, palavra por palavra.

Só que ontem à noite, quando fiz a pesquisa, as tags relacionadas abaixo do post eram totalmente diferentes. Eram os *meus próprios* termos de busca.

Existem duas postagens diferentes que dizem a mesma coisa? Ou o autor mudou as tags em algum momento entre ontem e agora?

Ontem, eu estava convencida de que havia sido Zen que escrevera esse post. Mas muita coisa mudou desde ontem. E agora não tenho certeza.

Não tenho certeza de nada.

– O que há de tão importante nessa empresa, aliás? – Cody interrompe meus pensamentos. – O que a faz pensar que Zen está lá?

Sei do que está perguntando. Ele pede a verdade. Sente que a estou escondendo dele. Mas não posso dar.

– Cody – digo com tristeza.

Ele levanta a mão para me impedir.

– Olha, tá tudo bem.

– Desculpe... – tento de novo.

Mas ele me interrompe mais uma vez:

– Olha, sei que tem alguma coisa acontecendo com você. Eu vi isso no momento em que você entrou no meu quarto e resolveu aquela conjectura praticamente de olhos fechados. Ali eu entendi que você não era uma garota normal. Mas está tudo bem. Não gosto de garotas normais mesmo. E talvez seja bom, porque pelo visto elas também não gostam de mim. Não precisa me contar nada, se não quiser. Fico muito bem se continuar a acreditar na fantasia que criei na minha cabeça.

Abro um sorriso carinhoso para ele.

– E que fantasia seria essa?

Ele se endireita na cadeira.

— Que você é uma alienígena supergata de um planeta distante cheio de supermodelos que veio à Terra em missão de exploração porque os homens foram totalmente extintos do seu planeta e você procura por outros espécimes para procriar a fim de evitar a extinção de sua raça alienígena supergata.

Dou uma risada.

— É muito imaginativo.

Ele dá de ombros.

— Leio muita ficção científica.

Ele dá um pigarro forte e volta a se concentrar no computador.

— Mas, então, esse Maxxer parece um picareta. — Ele estreita os olhos para a tela, lendo em voz alta o texto que já memorizei. — "A ascensão da Diotech representará a queda da humanidade. Esta enorme corporação fascinará alguns e enfurecerá muitos." — Ele solta uma bufada. — Esse cara faz parecer que a empresa nem existe.

— O que acha que isso significa? — pergunto.

Cody balança a cabeça.

— Não tenho a menor ideia. — Ele bate o indicador algumas vezes no track pad abaixo do teclado, depois empurra o laptop para mim. — Mas olha aqui. Por que não pergunta a ele você mesma?

Emudecida, encaro a tela enquanto uma caixa branca e pequena aparece no site.

— Do que você está falando? — digo. — Perguntar a ele *como*?

Cody toma um longo gole da sua bebida, dando cabo da última gota e jogando o copo vazio em uma lixeira próxima. Aponta a tela com indiferença.

— Ele está on-line. Você pode entrar num chat com ele.

– Chat? – repito, confusa. – O que isso quer dizer?

Mas Cody não precisa responder. Porque nesse momento uma única linha de texto azul aparece como que por mágica na caixa. Como se digitada por mãos invisíveis.

Maxxer: Olá, Sera. Estive esperando por você.

35
CHAT

❖

Meu coração está aos saltos. As mãos tremem violentamente.
Volto-me para Cody com os olhos arregalados e tomados de pânico.

— O que eu faço?

Cody está boquiaberto. Tão chocado quanto eu.

— Talvez você devesse responder? — diz ele, a voz num guincho. — Você pode se cadastrar como visitante.

Hesitando, concordo com a cabeça e puxo o laptop para mais perto de mim, colocando os dedos no teclado. Respiro fundo e começo a bater nas letras. Cody aponta a tecla Enter e eu a aperto, vendo minhas palavras aparecerem em vermelho abaixo do texto azul de Maxxer.

Visitante: Quem é você?

Cody e eu ficamos inteiramente imóveis e mudos, observando a tela. Alguns instantes depois, o laptop solta um bipe e aparece uma resposta.

Maxxer: Um amigo.

Um *amigo*? Eu nem sabia que tinha algum amigo. Zen me contou que todos os meus amigos do complexo eram apenas fruto da minha imaginação. Memórias falsas implantadas em meu cérebro. O computador solta outro sinal sonoro, assustando-me, enquanto surge outra linha de texto.

Maxxer: Fui mandado para ajudá-la.
Avanço imediatamente para o teclado.
Visitante: Me ajudar em quê?
Passam mais alguns segundos, e então:
Maxxer: Ajudá-la a encontrar o que você procura.
A empolgação cresce dentro de mim. Pela primeira vez, desde que vi arrastarem o corpo sem vida de Zen, sinto uma pontada de otimismo. Procuro firmar as mãos trêmulas para conseguir digitar uma resposta. Mas preciso de várias tentativas e correções antes de conseguir.
Visitante: Procuro pela Diotech. Sabe onde fica?
Prendo a respiração enquanto aguardo por uma resposta. Leva mais tempo do que eu esperava para uma pergunta aparentemente simples. Busco uma reação de Cody, mas ele se limita a dar de ombros. Por fim, ouvimos um *bipe* baixo e uma resposta aparece. Mas não é exatamente o tipo de resposta que eu desejava.
Maxxer: Mais longe do que você pensa. Porém, fica mais perto a cada dia.
Franzo a testa para a tela. Cody verbaliza minha confusão.
— Mas o que *isso* quer dizer?
Meneio a cabeça.
— Não faço ideia.
Descanso os dedos no teclado, preparando-me para pedir mais detalhes, quando o computador bipa de novo.
Maxxer: Não podemos ter esta conversa aqui. Não é seguro. Precisamos nos encontrar.
Uma pausa longa e apavorante.
Maxxer: Pessoalmente.
Antes que eu consiga refletir sobre a resposta, o computador é arrancado de minhas mãos.
— Nem pense nisso! — Cody dá um grito, abraçando possessivamente o laptop. — Olha, você teve sua sessãozinha di-

vertida de chat, mas aqui vou impor um limite. Todo mundo sabe que não se deve encontrar com gente que conhece on-line! É tipo a regra número um da internet. Ainda mais, caras que postam coisas sobre teorias da conspiração. Quer dizer, é tipo o criadouro oficial de gente maluca. Olha só a foto desse sujeito. Tá na cara que ele é um doido.

Observo a foto na tela, mais uma vez vendo seu cabelo comprido e prateado e o olho azul sinistro que me provoca um estremecimento.

— Ele pode até ser um assassino em série — continua Cody. — Deve fazer esses posts vagos e misteriosos para atrair jovens curiosas. Depois as engana com uma conversa fiada e a promessa de respostas, mas em vez de respostas... ele as mata.

— Ele sabe meu nome — observo. — Meu nome *verdadeiro*.

Cody zomba disso.

— Grande coisa. Esses predadores da internet sempre dão um jeito.

— Não sei como explicar isso, Cody — digo. — Só tenho a sensação de que ele pode ajudar.

Bipe.

Ao mesmo tempo, Cody e eu olhamos a tela.

Maxxer: Eu *posso mesmo* ajudar.

Suspiro e olho a lanchonete, esperando ver o homem da fotografia sentado à mesa ao lado, ouvindo nossa conversa. De que outra maneira ele saberia do que eu estava dizendo?

Mas ninguém me parece nem vagamente familiar. Nem parece que tem alguém prestando atenção em nós.

Bipe.

Maxxer: Mas primeiro... acho que outra pessoa está tentando entrar em contato com você.

Cody e eu nos olhamos mais uma vez enquanto cai um silêncio sinistro entre nós.

Começo a contar os segundos. Não consigo evitar. Antes de chegar a cinco, o silêncio é interrompido pelo toque estridente do meu celular roubado.

36

DESEJO

❖

— Não vai atender? — pergunta Cody, com uma cotovelada.

Num torpor, balanço a cabeça e olho o celular na mesa. A tela está iluminada com as palavras *Número Desconhecido*.

— Não está curiosa? — ele me incita.

Com as mãos trêmulas, pego o aparelho. Pressiono o botão verde e o levo à orelha.

— Alô? — digo num rangido.

— Sera.

Essas duas sílabas provocam um arrepio gelado na minha pele. A voz é de um homem. Áspera. Cruel. Ele não precisa dizer mais nada. Basta ouvi-lo pronunciar meu nome para fazer a conexão. É a voz que ouço insistentemente em meus sonhos.

O estranho sombrio.

O homem que vi pelo teto de vidro do mar enquanto eu estava em pânico, lutando para respirar.

Alixter.

Zen disse que ele era o presidente da Diotech.

O homem mais abominável do mundo.

E agora ele está aqui. Ao telefone.

— Quem é? — pergunto, querendo ter certeza. Ao mesmo tempo, rezando para estar enganada.

Vem um muxoxo do outro lado.

— Estou muito decepcionado que você não se lembre de minha voz. Sou seu querido amigo Alixter, é claro. Sua *raison d'être*.

Raison d'être: razão de ser ou razão para existir.

Acho que posso acrescentar o francês à lista de línguas que falo.

— É bom ouvir sua voz de novo — continua ele.

Um nó se forma em meu estômago. Meu peito tem uma convulsão e aquela bile ácida enche de novo minha boca. Engulo tudo.

— Mas — insisto — queria que fosse em circunstâncias diferentes. Você pode imaginar que não estou muito satisfeito por ter esse trabalho todo para chegar a você. — Ele suspira. — Mas infelizmente é assim que as coisas são.

Só tenho uma pergunta para ele e não perco meu tempo.

— Você está com Zen?

Ele ri. É um som frio e insensível que provoca um tinido em meus ouvidos.

— Nossa, você tem mesmo a mente limitada, não concorda?

Não importa que ele não tenha respondido à pergunta. Já sei que a resposta é sim.

— Onde ele está? — exijo saber. — Está vivo?

— Está em perfeita segurança. — Há uma longa pausa apática. — Por enquanto.

— Por favor, não o machuque. — Eu queria ter forças para gritar, fazer todo tipo de ameaças e exigências coléricas. Na realidade, porém, só consigo essa súplica patética.

— Bom, depende — diz Alixter.

— Do quê?

— De você.

O nó no estômago se aperta e dobra de tamanho. Como não respondo, ele continua falando:

— É você que eu quero, Sera. Não ele. Você é o investimento de um trilhão de dólares. E ele é... bem, ele é só o bobalhão que se apaixonou por você.

Minha testa arde com a lembrança do toque de Zen. A marca que ele deixou. É tão permanente em minha pele quanto essa tatuagem.

— Mas acho que o entendo — continua Alixter. — Você é... estonteante.

Fecho os olhos e me esforço para recuperar a compostura. Mas todo o meu corpo treme.

Quando ele volta a falar, o tom é mais leve. Mais despreocupado. Ainda assim me arrepia até os ossos.

— É por isso que estou disposto a negociar um acordo.

— Um acordo? — pergunto e sinto Cody enrijecer a meu lado. — Que acordo?

— Ora, você em troca dele, é claro — responde ele rapidamente.

— Concordo — replico de pronto.

Ele ri.

— Você pode ser a pessoa mais inteligente do planeta, mas não é muito boa em negociação, não é verdade?

Ignoro seu insulto.

— Basta me dizer onde você está.

— Veja bem — diz ele, aparentando ter muito orgulho de si —, eu disse a meus agentes que seria muito mais fácil deixar que *você* viesse a *nós*, em vez de eles perseguirem você por todo o estado, fazendo-se de idiotas e deixando apenas um rastro de sujeira para limpar. E eu tinha razão. Você *está mesmo* disposta a vir a nós. Só precisava da... motivação certa.

— DIGA ONDE VOCÊ ESTÁ! — grito ao celular, fazendo com que algumas pessoas se virem para olhar. Baixo a cabeça.

— Paciência. — Ele tenta me tranquilizar num tom que não é nada tranquilizador. — Quem espera sempre alcança. Não é assim que dizem? Mas não sei mais se acredito nisso. Afinal, esperei cinco longos anos por sua entrada na minha vida, depois você simplesmente me abandonou.

Não respondo. Não vou mais fazer seu jogo de provocações. Tenho a sensação de que ele está desfrutando demais disso.

– Estamos prestes a nos transferir para um local mais remoto. Meus agentes já chamaram atenção demais perseguindo você em lugares públicos. Para não falar de toda a atenção que você mesma conseguiu atrair.

Espio a lanchonete. Todos que se viraram para me olhar voltaram a suas próprias conversas.

– Você faz qualquer coisa por uma publicidade, não é? – diz Alixter com outro riso perturbador. – Mas foi essa mesma popularidade que nos ajudou a localizá-la, então acho que agora é *se correr o bicho pega, se ficar, o bicho come*. – Ele faz uma pausa, parecendo pensar nas palavras seguintes: – Mas não podemos atrair mais atenção para nós. Entraremos em contato quando chegarmos ao nosso novo local. Até lá, acho que você terá que esperar.

Estou prestes a bater o telefone quando ouço:

– Ah, e Sera?

– Sim – fervilho entre os dentes.

– Estou muito ansioso para rever você. Já faz muito tempo.

Há um silêncio do outro lado da linha e ouço um estalo mínimo. Jogo o telefone na mesa. Ele quica e desliza pela borda. Cody pega antes que caia no chão.

– O que foi isso? – pergunta Cody.

Mas não respondo. Apenas pego o laptop e começo a digitar. Não hesito. Não paro para pensar. Não há mais nada no que pensar.

Visitante: Onde você quer me encontrar?

Tamborilo os dedos com impaciência na mesa enquanto espero por uma resposta. Felizmente não demora muito.

Maxxer: Estarei aí fora em dez minutos.

37
CONFIANTE

❖

Levanto-me da cadeira e corro para a porta da lanchonete, abrindo-a com o ombro em direção à rua. O sol quente é uma distração bem-vinda. Olho para ele e pelo mais leve instante tudo parece assumir um tom de rosa-claro. Meus olhos lacrimejam. O mundo desaparece. E finjo que nada disso está de fato acontecendo.

Mas este breve momento acaba rápido demais.

Pisco e viro a cara. Cody está correndo porta afora, com o laptop metido debaixo do braço.

— Sera, ou sei lá qual é seu nome, você *não pode* fazer isso — insiste ele. — Já vi esse filme de terror e, pode acreditar, não termina bem. Vamos sair daqui enquanto podemos. A gente pensa em outra coisa. Continuaremos pesquisando na internet até encontrarmos mais informações sobre essa Diotech.

— Ele *tem* todas as informações de que preciso — digo com completa confiança. — Eu sei disso.

— Mas e se esse cara trabalhar para *eles*? — argumenta Cody. — Para as mesmas pessoas que estão atrás de você. Que levaram Zen! Você pode estar indo direto para a armadilha deles.

— Então, pelo menos não terei problemas para encontrá-lo.

Cody fica furioso, soltando uma variedade de resmungos.

Não vou negar que estou com medo, mas deixo esse sentimento ser dominado pelo desejo de encontrar Zen. Já cometi um erro enorme fugindo em vez de ficar para lutar e protegê-lo. Deixei que fosse capturado. Deixei que o levassem. Tudo isso é inteiramente culpa minha.

E de jeito nenhum vou fugir de novo.

Não me importa o que disse Rio sobre meus instintos ou o que está em meu DNA. Desta vez não vou fugir. Farei o que for preciso para encontrá-lo. Inclusive isso.

É como me disse Zen, na sala do jardim de infância, quando corri para a saída. Não posso fugir sempre que tenho medo. A certa altura, preciso ficar e lutar pelo que sei que é o certo.

E eu sei que isso é certo.

Um carro cinza encosta junto ao meio-fio e para. Uma janela se abre e uma mulher que não reconheço põe a cabeça para fora.

— Sera — ordena numa voz severa. — Entre.

Olho para Cody, mas ele ainda está ressentido e não me oferece ajuda nenhuma.

A mulher tem cabelo grisalho grosso e eriçado que cai sem corte pela testa. Sua pele é clara e frouxa. Como se alguém a esticasse demais e depois soltasse. Os olhos escuros e estreitos estão escondidos atrás dos óculos de armação preta.

— Mas você não é... onde está Maxxer?

Ela olha os dois lados da quadra com desconfiança.

— Sou a dra. Rylan Maxxer. A fotografia no site da internet é um disfarce. Explicarei tudo mais tarde. Agora você precisa entrar no carro.

Olho novamente para Cody.

— E aí? Você vem ou não?

Ele revira os olhos.

— Até parece que vou deixar você ir sozinha.

Nós dois nos aproximamos juntos do carro. Cody senta-se no banco traseiro e dou a volta pela frente para o banco do carona. Puxo a maçaneta e entro, fechando a porta.

A mulher pisa no acelerador antes que a porta tenha se fechado inteiramente, arrancando do meio-fio com o pneu cantando e jogando meu corpo no encosto do banco. Olho para trás e vejo Cody afivelando o cinto de segurança pelo corpo. Estendo a mão e faço o mesmo.

– Aonde vamos? – pergunto à pessoa que alega ser Maxxer.

– Provavelmente a um matadouro – responde Cody em voz baixa.

A dra. Maxxer olha com ansiedade pelo retrovisor, mas não responde a minha pergunta. Em vez disso, aponta o polegar por sobre o ombro e faz ela própria uma pergunta:

– Quem é esta criança irritante?

– Ei! – exclama Cody, ofendido. – Para sua informação, tenho treze anos. Não sou uma criança.

– Tudo bem. – Maxxer se corrige. – Quem é este irritante de treze anos?

– É meu irmão adotivo – respondo.

– Está bem. – Ela reduz em um sinal amarelo e volta a olhar obsessivamente o retrovisor. – A boa notícia é que acho que não estão nos seguindo.

– Quem? – pergunto.

– A Diotech – responde ela e quase ouço sua voz tremer ao mencionar este nome.

Balanço a cabeça.

– Não me seguem. Estão esperando que eu vá a eles.

– Bem, todo cuidado é pouco – reflete ela.

– Vai nos dizer aonde vamos? – pergunto de novo.

O carro para em um cruzamento.

– Como eu disse – começa ela, levando a mão a um compartimento na porta do motorista –, todo cuidado é pouco.

Em particular em um mundo no qual nem as suas *memórias* estão a salvo.

— O que isso quer dizer? — Fico desconfiada, tentando ver o que ela tem na mão.

— Quero dizer que quando você não quer ser encontrada, é melhor não deixar rastro nenhum.

Ela age com tal rapidez que mal tenho tempo de processar o que está acontecendo. A mulher se vira no banco, investindo para Cody. A mão escondida se estende, tocando a lateral da cabeça dele.

Horrorizada, vejo o corpo de Cody arriar. O cinto de segurança continua a mantê-lo reto, mas seus olhos se fecham e a cabeça tomba para frente. Como se ele simplesmente dormisse.

Ou alguém o *tivesse colocado* para dormir.

Quando me dou conta, é tarde demais.

A dra. Maxxer já virou o Modificador para mim. Fico consciente por tempo bastante para ver o conhecido dispositivo em sua mão avançar para meu pescoço. Ele encosta bem abaixo do meu maxilar. Ouço um chiado fraco e antes mesmo que tenha tempo de gritar, tudo à minha volta escurece.

38
INVERNO

❖

O ar do lado de fora é quente e seco. O sol quase desapareceu depois do muro. Estou deitada no pequeno gramado na frente de minha casa, com a cabeça no colo de Zen. Ele acaricia meu cabelo. Começa pelas raízes e vai entrelaçando os dedos até as pontas, depois recomeça.

"De novo", digo.

Ele para a fim de fazer cócegas atrás das minhas orelhas, sua voz assumindo uma falsa irritação.

"De novo? Mas a essa altura você já deve ter memorizado."

"É claro que memorizei. Memorizei desde a primeira vez que você leu. Mas parece muito melhor quando é você quem diz."

Ele ri, retirando a mão da minha cabeça. Pega o livro de capa dura e surrada estendido na grama a seu lado e reabre na página marcada.

Levanto a mão e toco carinhosamente a lombada, adorando sentir o tecido macio e envelhecido em minha pele.

"Onde você conseguiu isto?", pergunto.

Ele me olha de cima.

"Nos arquivos históricos da Diotech", diz ele com ternura. "Esta é a primeira vez que você lê um livro de verdade?"

Balanço a cabeça.

"Rio os pega."

Sinto a mudança perceptível na energia de Zen quando menciono o nome dele. Seu rosto endurece e o sorriso desaparece. Mudo de assunto rapidamente, antes que sua reação persista.

"Então, vai ler ou não?", eu o provoco. "Porque sabe que não tenho o dia todo."

Ele ri, bate em meu nariz com o dedo e volta a se concentrar no livro. Dá um pigarro e começa a ler com uma pronúncia tola e pomposa.

"Que para a união de almas sinceras eu não admita impedimentos."

Dou um tapa em seu braço.

"Não! Não é assim."

Ele sorri, nossos olhos se encontrando por um momento breve, porém intenso. E então volta a ser o Zen tímido e brincalhão.

"Que foi? Não gosta de meu sotaque britânico? Só estou tentando lhe dar uma experiência autêntica. Shakespeare era britânico, então devia ser assim na cabeça dele."

Dou-lhe outro tapa, incapaz de controlar o riso.

"Não", insisto. "Leia do seu jeito."

Sua expressão fica séria enquanto os olhos voltam ao livro.

"Tudo bem."

Há uma breve pausa e a expectativa de ouvir as palavras em seus lábios é quase demasiada. Sinto palpitações no estômago. O desejo nos lábios. Minha respiração fica rasa.

Quando ele fala, por fim, sua voz é suave, concentrada e poderosa.

Coloca em chamas o mundo à nossa volta. Tudo está em brasa. Nada é seguro. Ouço todo o poema em expectativa... que a qualquer minuto eu também possa me incendiar.

> "Que para a união de almas sinceras
> Eu não admita impedimentos. Amor não é amor
> Se ao enfrentar alteração se altera,
> Ou se curva a qualquer pôr e dispor.
> Oh, não, é um marco sempre constante
> Que vê passar a tormenta com bravura;
> É a estrela dos barcos errantes,
> De valor obscuro, mas exata altura.
> O Amor não é o bufão do Tempo, embora

>Sua foice não poupe lábios e sorrisos;
>O Amor não se altera com o passar das horas,
>Mas a tudo resiste até o dia do Juízo.
>>Se eu estiver errado, e se alguém provou,
>>Nunca escrevi, ninguém nunca amou."

Quando ele termina, fecho os olhos e me banho no calor de sua voz e da lírica de Shakespeare, desejando que jamais terminasse. Que esse calor permanecesse para sempre.

Mas sei que é impossível.

Porque logo ele vai embora. Como faz todos os dias. E ficará frio de novo.

"Shakespeare não poderia ter escrito este poema hoje", concluo depois de um momento de silêncio mútuo.

Zen baixa o livro e volta a acariciar meu cabelo.

"Por que não?"

"Porque esse amor não pode existir hoje." A triste realidade dessa verdade arranca boa parte de mim e deixa-me vazia.

"Isso não é verdade." Zen se curva e me dá um beijo na testa. "E nós?" Sussurra ele em meu ouvido. *"Você é meu marco sempre constante. Igual ao poema."*

Sinto as lágrimas brilhando nos olhos enquanto mantenho o punho na frente do rosto e acompanho a linha preta e fina com a ponta do dedo.

"Sempre estaremos separados. Enquanto estivermos aqui, jamais poderemos ficar juntos. Eles nunca vão deixar."

Olho para Zen e vejo a tristeza que escurece seus olhos. Como uma nuvem. Ele sabe que tenho razão. Mesmo que se recuse a admitir.

Coloco-me de joelhos, de frente para ele.

"Shakespeare tinha sorte", continuo. "Nasceu em uma época anterior aos computadores, varreduras cerebrais e sequenciadores de DNA. O amor podia sobreviver porque não existia a tecnologia para destruí-lo. A ciência não tinha poder suficiente para estragar a vida das pessoas."

Zen não concorda comigo, mas também não discute. Fica em completo silêncio. Pensativo. Os olhos fixos em algo distante.

"Só existe um lugar em que podemos ficar juntos", digo, colocando a palma da mão em sua face.

Ele pisca, como se arrancado de um transe, e volta a focalizar em mim.

"Onde?"

Abro um sorriso.

"Em 1609."

Espero pelo riso dele. Espero por isso. Porque sei que a ideia é ridícula.

Uma fantasia. Uma espécie de aventura lida apenas nos livros.

Mas ele não ri.

Seu olhar volta a ficar vidrado e ele continua encarando o mesmo ponto distante.

"Zen?", chamo, virando sua cabeça para mim.

"Hmmm?", responde ele, distraído.

Curvo-me para frente e coloco minha boca na dele. Ele corresponde ao beijo, segurando meu rosto entre as mãos, passando-as por minha nuca e me puxando para mais perto.

Seu beijo é delicioso.

Como sempre.

Desta vez, porém, há algo diferente. Eu sinto.

Sua mente está em outro lugar. Seus pensamentos estão distantes. E não sei por quê.

Quando o beijo acaba, Zen se levanta e estende a mão para me ajudar.

"O que está fazendo?", pergunto.

"E-E-Eu...", gagueja ele. "Preciso ir."

"Mas ainda não chegou a hora", insisto. "Ainda temos trinta minutos antes de Rio chegar em casa."

Zen se debate visivelmente dividido entre a ideia de ficar e o que está competindo por sua atenção.

"Eu sei. Mas preciso fazer uma coisa."

Mordo o lábio.

"Tudo bem", digo baixinho.

Ele examina minha expressão e sorri, abraçando-me e me puxando para ele.

"Não se preocupe", diz. "Voltarei amanhã."

Ele me puxa um pouco mais e sussurra em meu ouvido:

"Feche os olhos."

Eu fecho. Mas não de boa vontade. Porque sei o que significa. Significa que ele vai me deixar e o frio amargo está próximo.

Mas também sei que é melhor do que a alternativa: vê-lo ir embora.

Seus lábios roçam delicadamente os meus, depois ouço o som de partir o coração, por demais familiar, de seus passos se afastando, os sapatos raspando o concreto enquanto ele sobe no alto do muro e o baque suave de seus pés quando cai do outro lado.

Espero, estremecendo um pouco enquanto conto lentamente até cinquenta, como sempre faço.

É tempo suficiente para que seus passos desapareçam. Um cálculo que tive que fazer uma vez e desde então desprezo.

Quarenta e oito... quarenta e nove... cinquenta.

Quando abro os olhos, meu marco sempre constante desapareceu.

39
TEMPORÁRIO

❖

Acordo sentindo o chão frio abaixo de mim.

O ambiente é pequeno e escuro. Não tem janelas, nem portas. Uma única lâmpada ilumina o espaço mínimo. Preciso de algum tempo para perceber que estou deitada num piso de cimento. Viro a cabeça para a esquerda e vejo Cody deitado a meu lado, ainda inconsciente.

O que aconteceu?

Procuro lembrar como cheguei aqui. Ou mesmo onde fica este *aqui*.

Lembro-me de entrar no carro com uma mulher que alegou ser Maxxer. Ela disse que não achava que estávamos sendo seguidos, mas que todo cuidado era pouco. Paramos em um sinal vermelho, ela se virou e desativou a nós dois antes que eu pudesse reagir.

Então, eu estava...

Onde eu estava?

Parece que me lembro de estar com Zen. Sim, estávamos no complexo da Diotech. Líamos poesia em meu jardim. O soneto 116. Meu poema preferido. Tudo era maravilhoso. Depois ele começou a agir de um jeito muito estranho e foi embora.

Mas, espere um pouco. Isso realmente aconteceu?

Não pode ter acontecido. Zen foi capturado. Eu vi.

A não ser... Corro os olhos pelo ambiente de novo. A não ser que eu esteja agora no complexo da Diotech.

Mas isso não faz sentido. Por que Maxxer nos traria para cá? No carro, ela parecia ter medo da Diotech.

O chão treme; levanto a cabeça e vejo dois pés aproximando-se de mim. Deste ângulo estranho, só consigo distinguir muito mal as feições dela, embora eu tenha certeza de que é a mulher do carro.

—Você despertou — diz ela.

Forço meu corpo a se sentar e esfrego os olhos.

— Onde estamos? — pergunto, grogue.

— Em meu depósito.

Espio o espaço úmido e pequeno. Não há nada senão uma lâmpada, um colchão que parece cheio de ar, uma mesa de metal desgastada e uma cadeira de metal atrás dela. Na mesa, um sortimento de aparelhos desconhecidos. O único entre eles que reconheço é um laptop.

—Você mora aqui?

— Sim, temporariamente — responde ela. — Eu costumo me mudar muito. Os depósitos são mais fáceis. Podem ser alugados mensalmente e não têm vizinhos barulhentos.

— Por que você nos desativou?

— Precisei me certificar de que você não se lembrasse de onde fica este lugar. Nada que a Diotech possa roubar depois. Assim é mais seguro.

— Quando ele vai acordar? — Aponto Cody com a cabeça.

— Em alguns minutos — diz a dra. Maxxer. — A química cerebral dele é um pouco diferente da sua. Demora um pouco mais para que passe o efeito do Modificador.

Esfrego a nuca, que está um tanto sensível de ficar deitada no piso frio de concreto. E é quando sinto o pequeno disco de borracha na base do pescoço. Minha mão dispara até a orelha esquerda, depois a direita. Os receptores cognitivos. Eu jamais os tirei.

— O que mais você fez comigo? — pergunto freneticamente, agora de pé, olhando em volta.

— Só lhe devolvi o que era seu de direito. — Ela tira do bolso um cubo prateado e pequeno. De imediato reconheço o disco rígido que Zen usou para armazenar minhas memórias roubadas. Mais uma vez, ele tem um brilho verde.

Ofego e dou um passo na direção dela.

— Como conseguiu?

Ela o olha, depois para mim.

— Encontrei quando revistei você.

— Em mim? — pergunto, surpresa.

Ela concorda com a cabeça.

— Estava no seu bolso.

Meneio a cabeça.

— Mas é impossível. Da última vez que vi, Zen estava colocando no bolso *dele*. Pouco antes de eu dormir. Depois apareceram aqueles homens no posto de gasolina, que o levaram, e eu nunca mais o vi.

Maxxer ergue as sobrancelhas para mim, provocadora.

— Talvez você deva dar uma outra olhada naquele posto de gasolina.

Apressadamente, repasso a cena em minha cabeça. Instante por instante.

Zen me disse para ficar no carro enquanto pagava pela gasolina. Depois a garota do celular tirou uma foto minha. Um segundo depois, os homens apareceram. Corri até Zen, mas ele me afugentou. Colocou a mão em meu quadril e disse que eu fosse o mais longe que pudesse.

Em meu quadril.

Reexamino o ato com mais atenção e, de repente, sinto que ele desliza algo para meu bolso antes de me empurrar. Na hora eu nem mesmo percebi, porque estava distraída demais com tudo o que acontecia à nossa volta.

Mas Zen teve clareza mental suficiente para que eu ficasse com o disco antes de partir.

Ele queria que eu tivesse acesso ao restante das memórias.

Queria que eu tivesse a última parte da história.

Sobretudo, ele queria ter certeza de que a Diotech não as tivesse.

— Você — digo com uma percepção súbita, piscando para Maxxer. — Foi *você* que ativou a memória? Aquela do poema?

— Na verdade, nem precisei fazer isso. Você ativou sozinha. Eu só liguei o disco.

Pestanejo.

— Como fiz isso?

Ela dá de ombros.

— Você deve ter pensado muito em Zen quando ficou inconsciente. Claramente isso bastou.

Não consigo evitar o sorriso ao ouvir essas palavras.

— Mas isso deve tornar minha explicação um pouco mais fácil — continua Maxxer.

— Que explicação?

— Aquela que você está prestes a me pedir.

Olho-a fixamente, assombrada.

— Como sabe o que eu estou prestes a pedir a você?

Ela sorri, os olhos estreitos se enrugando nos cantos.

— Sei muito mais sobre esta conversa do que você pensa.

Esse diálogo não faz sentido nenhum. Minha cabeça começa a martelar. Fecho bem os olhos.

— Siga seu instinto — aconselha ela. — Faça a primeira pergunta que lhe aparecer na cabeça. Garanto que será a pergunta certa.

— Onde fica a Diotech? — pergunto sem pensar.

— A questão não é *onde* — diz ela. — A questão é *quando*.

— Hein? — Agora estou muito confusa, as paredes parecem se fechar sobre mim.

— Continue perguntando — ela me estimula. — Você vai chegar lá.

Respiro fundo e pergunto a próxima coisa que me ocorre:

— Como você sabe tanto sobre a Diotech?

Ela se senta na cadeira e cruza as mãos no colo.

— Porque antigamente eu trabalhava para eles.

— *Antigamente?*

— Sim. Eu era uma de suas principais cientistas.

— Por que você não queria que eu soubesse como chegar aqui? Eles também estão atrás de você?

Ela assente com entusiasmo, como se me dissesse que estou no caminho certo.

— Sim. Continue.

Seu joguinho está me empolgando e frustrando ao mesmo tempo.

— Por que eles estão atrás de você?

— Porque, quando você trabalha na Diotech, especialmente em um projeto tão importante como o meu, não pode simplesmente sair. Eles não permitem. — Ela se curva para a frente, sustentando meu olhar. — Como pode ver, eu também fugi.

A Dra. respira fundo e une as mãos.

— Quando comecei a trabalhar na Diotech, era uma empresa pequena. Inovadora. Um grupo de pensadores de vanguarda que queria levar a ciência ao próximo nível e usá-la para o aprimoramento da humanidade. Isso me agradou. Mas as coisas começaram a mudar. As motivações começaram a mudar. E eu não concordava mais com o rumo que a empresa tomava. Então, fui embora.

— Por que, nas mensagens — comecei, hesitante —, você falou na Diotech como se ela ainda não existisse?

Ela assente, como se essa fosse *a exata* pergunta que esperava ouvir agora.

— Porque ela não existe.

Pisco rapidamente.

— Como é?

Ela se recosta na cadeira e suspira.

— A Diotech só será criada daqui a cem anos.

Meus músculos começam a ficar dormentes. A sensibilidade escapa primeiro dos braços.

— Quando você disse *fugiu* — falei com cautela —, quis dizer...

Mas minha voz falha. Não consigo concluir o raciocínio.

Ela parece achar graça da minha reação, o que desperta uma leve risadinha.

— Sera, eu cheguei aqui exatamente como você.

Penso na memória que vi há pouco. Aquela que foi incitada enquanto estava deitada no chão. Eu disse a Zen que achava que Shakespeare tinha sorte. Porque ele viveu em uma época sem tecnologia. Quando a vida era simples e o amor eterno era possível. Disse a ele que era o único lugar em que podíamos ficar verdadeiramente juntos.

Minha mente volta automaticamente à conversa que tive com Zen no carro hoje. Quando ele tentou explicar como fugimos do complexo. Algumas frases fundamentais subitamente se destacam. Frases que agora começam a compor uma história muito diferente.

"*Talvez eu deva começar com um poema.*"

"*O soneto 116 era o seu preferido.*"

"*Mas um dia acabou virando mais do que isso. Tornou-se a inspiração para um plano muito complicado.*"

"*Aconteceu uma coisa quando tentamos fugir... Algo saiu errado.*"

"*Você acabou ali e eu terminei... lá.*"

A sensibilidade das minhas pernas é a próxima a sumir. Meu corpo desmorona, cai sem parar, até que mais uma vez o piso de cimento frio está bem abaixo de mim. Procuro desesperadamente o medalhão pendurado no pescoço e seguro com força entre os dedos enquanto a verdade me atinge como um raio.

Lá não é um lugar. É um *ano*.

40
EXISTÊNCIA

❖

1609.

O número que vem me assombrando desde o início.

O ano que falei quando me retiraram do mar.

Porque, evidentemente, era aonde eu *pensei* que estava indo.

E esse era o plano complicado que Zen tentou me contar no carro. Antes de sermos separados. Nós pretendíamos fugir... para o ano de 1609. Uma época de renascimento e poemas de amor. Uma época sem tecnologia. Sem a Diotech.

Por isso Zen fez a gravação no medalhão. Bem no meu coração.

$S + Z = 1609$.

Seraphina mais Zen... em uma época em que realmente podíamos *ficar* juntos.

Eu queria tanto não acreditar em Maxxer. Desconsiderar tudo o que ela está dizendo, mas não posso. Por mais que isso me assuste, meu cérebro lógico acolhe sua alegação ridícula. Porque, por ironia, faz todo sentido.

Explica milagrosamente muito do que não fui capaz de explicar.

Por que não existe menção da Diotech em nenhum lugar da internet.

Por que Cody nunca ouviu falar dela.

Por que eles têm uma tecnologia que parece tão futurista.

O que significa que todas essas memórias roubadas – tudo o que estive observando em minha mente, o complexo, minha casa, o dia em que conheci Zen –, essas coisas não aconteceram no passado. Aconteceram no futuro.

A dra. Maxxer se precipita para me ajudar a levantar. Coloca-me em sua cadeira e me diz para tentar relaxar e respirar fundo algumas vezes. Estou tão dominada pela emoção e pela confusão que preciso de alguns minutos para conseguir fazer a pergunta mais importante até agora.

– Como isso é possível?

Maxxer se coloca na beira da mesa.

– Você quer saber como conseguiu viajar cem anos para o passado?

Concordo com a cabeça, desorientada.

– Bom... é.

– A ciência disso é muito complicada. Mas vou tentar simplificar o máximo que puder. Veja bem, eu sou uma física quântica. Uma das melhores em minha área. Por isso a Diotech me contratou. E vários anos depois eles me pediram para chefiar um novo projeto altamente secreto. Seu codinome era Projeto Flor Branca. Fui encarregada da tarefa desanimadora e aparentemente impossível de determinar se e *como* o ser humano pode se deslocar no tempo e no espaço. Chamamos de *transessão*, ou, na forma verbal, *transeder*. É uma palavra baseada nas raízes latinas *trans*, que significa "atravessar" e *esse*, que significa...

– Ser ou existir – completo, baixinho.

Ela sorri.

– Muito bem. Transeder significa literalmente existir através de. Ou alterar o *onde* ou *quando* você existe. A expressão completa e oficial passou a ser *transessão cronoespacial*. Existir através do espaço e do tempo.

Ela respira fundo e se levanta.

— De imediato abandonamos os suspeitos de sempre, que os cientistas vinham experimentando havia décadas... Buracos de minhoca, viajar mais rápido do que a velocidade da luz etc. E nos concentramos mais na genética.

— Na genética? — repito. — Quer dizer um gene que permite a você se transplantar para outra época?

— Se *transeder* — ela me corrige com um sorriso irônico. — Mas é isso mesmo. O gene da transessão. Conseguimos desenvolvê-lo em apenas poucos anos. Mas jamais conseguimos colocá-lo para funcionar em nenhuma de nossas cobaias. Experimentamos implantar o gene em camundongos e mandá-los alguns segundos para o futuro, ou simplesmente para o outro lado da sala, mas eles nunca partiam. E todos acabavam morrendo algumas semanas depois. O gene literalmente os devorava por dentro.

Depois de uma pequena pausa, ela continua a explicação:

— Basta dizer que não conseguimos grandes progressos e a Diotech estava considerando o encerramento do projeto. Pensando bem agora, eu devia ter deixado.

— Mas é óbvio que não deixou — confirmo. — Porque nós duas estamos aqui.

Ela assente solenemente.

— Exato. — Ela une as mãos e começa a andar de frente para a mesa. — Numa noite, quando eu estava sozinha em meu laboratório, fiz uma descoberta importante. Entendi por que o gene não funcionava. Onde estávamos errando. Fiquei tão confiante de ter corrigido o problema que implantei um gene diretamente em mim. Sem nem mesmo ter testado em outra coisa. E de fato consegui mandar a mim mesma dois minutos para o futuro.

– *Transeder* a si mesma – corrijo com o mesmo sorriso irônico.

Ela ri.

– Claro. Na época, porém, eu já começava a ter sérias dúvidas sobre a integridade da empresa. E das pessoas que tomavam todas as decisões.

– Pessoas? – repito. – Pensei que Alixter fosse o presidente da empresa.

– E ele é. No papel. Mas tenho minhas desconfianças de que é mais complicado do que isso. Que existiam outras pessoas puxando as cordinhas. Gente muito mais poderosa e perigosa do que Alixter.

– Por que você pensa assim?

– A Diotech começou muito pequena. Uma empresa de cinco pessoas trabalhando no porão do dr. Rio. De repente, do nada, houve um influxo *imenso* de capital. Alixter era muito reservado sobre a origem do dinheiro ou para o que seria usado. Mas eu logo soube que seríamos transferidos a um enorme complexo no meio do nada. Outras centenas de cientistas e assistentes foram contratadas. A segurança foi elevada ao nível do ridículo. Não podíamos ir a lugar nenhum sem escanearem nossas digitais. Não tínhamos permissão para sair sem passe, nem falar com ninguém de fora do complexo que não estivesse em uma lista pré-aprovada. E até nossas conversas eram gravadas. A coisa toda era... sinistra.

Maxxer tem uma expressão distante, balança a cabeça para clareá-la e continua:

– De qualquer forma, só quando nos mudamos para o complexo deram início a alguns desses empreendimentos muito caros (para não falar que eram *secretos*). Como meu próprio Projeto Flor Branca e o projeto que criou você. Tenho certeza de que Alixter não pode ter financiado isso sozinho. O que significa que alguém... ou algum *grupo*... deve ter patrocinado.

— Você sabe alguma coisa do projeto que me criou? — pergunto apressadamente. — Por exemplo, o que estavam fazendo comigo? Ou mesmo *por quê*?

Maxxer balança a cabeça.

— Infelizmente, não. Seu projeto era altamente confidencial. Só Rio e Alixter tinham total acesso. Ninguém mais do complexo nem mesmo sabia que o primeiro ser humano projetado sinteticamente vivia entre nós. Na verdade, eu só tomei conhecimento da sua existência muito recentemente. Mas, para ser franca, não estou otimista. Alixter só tem um combustível: o dinheiro. E as pessoas para quem ele trabalha... bem, só Deus sabe o que os motiva. Não sei quais foram as razões para criarem você, mas tenho certeza absoluta de que vai bem além de apenas você.

— Como assim? — pergunto num torpor.

— Quer dizer, por que criar o ser humano perfeito só para mantê-lo trancado em uma cela o dia todo? Sei que eles não gastaram trilhões de dólares só para admirar um rosto perfeito. Se estão se esforçando tanto para encontrá-la e levá-la de volta, o projeto não acabou. Tenho a sensação de que você é apenas uma pequena parte de um plano muito maior.

Sinto meu peito se apertar até doer. Quero fugir. Correr. Meus olhos disparam pelo espaço pouco iluminado procurando uma saída, mas a única porta que vejo tem uma tranca de aço. Obrigo-me a ficar e respirar. O entra e sai do ar parece me acalmar. Não inteiramente. Mas o suficiente.

Maxxer começa a andar de um lado a outro.

— Então, como eu disse, quando surgiu minha descoberta no laboratório, eu já alimentava meus temores sobre o que se tornara a Diotech. E começava a me perguntar para que de fato usariam minha pesquisa. Era estranho... desde a época em que comecei a trabalhar no Flor Branca, nunca parei para pensar no que faria uma tecnologia como a transessão. Que repercussão poderia ter. Em particular se fosse usada para os fins errados. Acho que, no fundo, nunca pensei realmente que daria certo.

"Mas deu", continua ela. "E então fiquei oprimida pela ideia de que, se eu entregasse minha pesquisa a Alixter, não saberia em que mãos ela acabaria.

"E se alguma coisa horrível acontecesse, a responsabilidade recairia sobre mim. Tive pesadelos terríveis em que acordava e descobria que Hitler vencera a Segunda Guerra Mundial ou que o planeta caíra em um inverno nuclear porque alguém propositalmente mudou o curso da história. Eu não podia permitir que isso acontecesse. Assim, destruí as provas do meu sucesso, entreguei o relatório final contendo um modelo da antiga versão fracassada do gene, alegando que a transessão jamais funcionaria bem, e recomendei que o projeto fosse encerrado. Depois fui embora. E venho me escondendo desde então."

— Mas — comecei, pensativa — claramente outra pessoa entendeu como fabricar o gene corretamente. Porque eu estou aqui. E Zen. E Rio.

— Exatamente — diz ela, apontando para mim. — É claro que vocês não são os únicos.

Entendo de imediato a quem ela se refere.

Os homens que levaram Zen.

Só de pensar neles, meus punhos endurecem e os dentes trincam.

Maxxer deve ter visto minha reação porque assente, compreensiva, e fala:

— Os agentes de segurança da Diotech. Ex-militares impiedosos que Alixter contrata para fazer o que ele manda. Provavelmente são os únicos mais depravados do que ele naquela empresa. E, se eles estão aqui, significa que a Diotech tem o código correto para o gene da transessão. – Ela baixa a cabeça e sussurra: – E Deus ajude a todos nós.

– Então, isso é culpa *minha* – sussurro.

Ela ri baixinho.

– Não é culpa sua, Sera. Isso é muito maior do que você.

– Mas eles estão aqui por minha causa! – explodo. – Porque tentei fugir. Se não fosse por mim, nenhum deles jamais saberia da transessão. Eles *me seguiram* até aqui.

Mas uma ideia de repente me detém, e baixo os olhos para minha tatuagem.

– Espere um minuto – reflito. – Zen disse que eles só podem me rastrear num raio de três quilômetros.

Maxxer concorda com a cabeça.

– Zen tem razão, em parte – admite ela. – Agora... *nesta* época... sim, eles estão limitados a um raio de três quilômetros. Mas daqui a cem anos, a Diotech terá sistemas de satélite posicionados que permitirão localizar você em qualquer lugar do planeta. Porém esses satélites só serão colocados em órbita daqui a quase um século. O que significa que, quando você está aqui... nesta época, ou em qualquer outra época antes da criação dos satélites... a tecnologia de rastreamento deles é extremamente limitada.

Minhas sobrancelhas se unem.

– Mas eles têm meios de saber em que *ano* estou?

Maxxer abre um sorriso irônico.

– De jeito nenhum. Essa é a beleza do seu plano de fuga. Você jamais poderia escapar do complexo e continuar no mesmo período. Eles teriam conseguido encontrá-la em qualquer lugar. Porém, sendo o tempo tão vasto e ilimitado, é quase impossível localizar alguém nele. Depois que você desaparece no passado, acabou-se, você morreu. Não pode ser localizada por tecnologia nenhuma.

— Mas, então, como eles conseguiram me encontrar aqui?
— Da mesma forma que Zen conseguiu encontrá-la.

Meneio a cabeça, voltando a ficar frustrada.

— Não entendo.
— Veja bem, mesmo quando alguém desaparece no passado, se não tiver extremo cuidado, quase *sempre* deixa um rastro.
— Que tipo de rastro?

Ela puxa o laptop para mais perto e digita no teclado; um segundo depois, gira o aparelho para mim. Na tela, vejo uma foto familiar me encarando.

Uma fotografia *minha*.

É aquela que me lembro de ver no noticiário quando eu estava deitada no leito do hospital. E de novo na lanchonete hoje. Aquela usada para estimular as pessoas a telefonar com qualquer informação sobre minha identidade.

— Não entendo — digo. — Como minha fotografia deixa o rastro?

— Qualquer registro público, matéria de noticiários, postagem na internet, até fotos carregadas no Facebook ficam armazenadas indefinidamente em um servidor em algum lugar. Só é necessário o critério de pesquisa correto e você consegue encontrar qualquer um. Em qualquer lugar. E em qualquer *época*.

— Está dizendo que essa foto apareceu numa busca da internet cem anos à frente e que foi assim que eles souberam que eu estava aqui?

— É possível. — Ela puxa a orelha, pensativa. — Mas é fácil de entender. Quando foi a primeira vez que você viu Zen aqui?

A lembrança volta de imediato. A cara dele borrada por causa dos medicamentos. Ainda sinto o calor de sua mão me tocando.

— Ele foi me ver no hospital — digo, cheia de esperança.

— E deixe-me adivinhar. Isso foi *logo* depois de mostrarem sua foto no noticiário e revelarem em que hospital você deu entrada.

— Sim! — exclamo avidamente. — É isso mesmo!

— Veja bem, a melhor chance que ele tinha de encontrar você era aparecer *exatamente* onde a transmissão da TV disse que você estava, *no exato momento* em que dizia onde você estava. Um minuto depois, e você podia estar em qualquer outro lugar.

— Mas Zen foi para 1609. Ele me disse. Como ele pode ter visto a transmissão tão no passado? Isso ainda não tinha acontecido.

— Ele só ficou lá por um momento — esclarece Maxxer. — Quando percebeu que você não conseguiu, voltou diretamente à Diotech para encontrá-la. Quando viu que você também não estava lá, passou os *dois meses* seguintes procurando por você. Não tinha a menor ideia de onde encontrá-la. Você podia ter acabado em qualquer lugar. E como seu nome nunca era falado nos noticiários, porque ninguém aqui *sabia* seu nome verdadeiro, encontrá-la virou um trabalho de tempo integral. Ele via arquivos digitais de noticiários durante horas por dia, procurando alguém que combinasse com sua descrição. Quando encontrou a matéria sobre o acidente de avião e a sobrevivente de dezesseis anos com olhos violeta, foi diretamente lá para resgatá-la.

Em completa incredulidade, reprise mentalmente a cena do hospital, procurando provas de que é verdade o que ouvi de Maxxer.

Kiyana me diz para desligar a televisão e descansar um pouco, mas eu me recuso. Assim, ela administra drogas para me ajudar a dormir, depois sai.

O quarto fica indistinto.

Vejo alguém na porta. Uma silhueta. Aproxima-se de mim. Veloz. Com urgência.

— Consegue me ouvir? Abra os olhos, por favor.

Ele toca minha mão e eu luto para ficar acordada.

— Acorde, por favor — suplica ele, de longe. Sua voz ecoa em meus ouvidos.

Mal consigo distinguir seu rosto. Paira a centímetros do meu. Entra e sai de foco num borrão.

— Isso não devia acontecer — diz ele. — Você não deveria estar aqui.

Ele age rapidamente, retirando minha intravenosa, os tubos do meu rosto e do peito.

Ouço passos no corredor, vindos da estação de enfermagem.

— Não se preocupe — diz ele. — Vou tirar você daqui.

O toque de sua mão lentamente se dissolve e me esforço para abrir os olhos pela última vez antes de a escuridão chegar.

Ele sumiu.

— Espere aí — digo, levantando-me. Agora é minha vez de andar pela sala. — Zen me encontrou no hospital. Mas os agentes de segurança da Diotech só apareceram quando saí daquela lanchonete e me deparei com um bando de repórteres. Apareceram de novo no posto de gasolina depois que aquela garota tirou uma foto minha com o celular. Por que eles também não foram ao hospital, se aquela foi a primeira vez que minha foto apareceu no noticiário? Como deixaram passar essa?

Maxxer sorri. É evidente que ela tem muito prazer em transmitir o que está prestes a dizer:

— Porque Zen estava atento a você.

Sinto um calor imediato se espalhar por todo o corpo e aquele ponto mágico no meio da testa arde mais uma vez. Mas o calor tem vida curta. Esfria no momento em que penso na rapidez com que eu o *abandonei*. Com que velocidade fugi para me salvar. Depois de tudo o que ele fez por mim.

– Ele tentou encobrir seus rastros – continua Maxxer. – Zen sabia que era só uma questão de tempo até que Alixter deduzisse que você tinha transedido e viesse procurar por você também. Assim, depois que descobriu que você estava aqui, neste ano, contratou um profissional para invadir os arquivos de noticiários digitais e apagar a prova do seu paradeiro.

– Se é assim, por que ele também não retirou a fotografia que foi tirada na frente da lanchonete, ou aquela da garota no celular?

Maxxer balança a cabeça.

– Porque *estes* eventos aconteceram depois que ele já estava aqui. Na verdade, aconteceram como *resultado* da presença dele aqui. Você só fugiu da casa dos Carlson e acabou naquela lanchonete porque Zen lhe disse que você estava sendo seguida. Depois, você só estava no posto de gasolina por que fugiu com Zen. Esses eventos e fotografias só existiram *depois* que ele veio procurá-la. O que significa que teria sido impossível para ele apagá-los, porque a tecnologia ainda não existe aqui.

Mais uma vez sinto uma dor de cabeça e esfrego os indicadores nas têmporas.

– Não se preocupe – diz ela. – Um dia vai fazer sentido.

Eu rio.

– Acho que duvido disso.

– Confie em mim. Eu... – A voz de Maxxer falha como se alguma coisa tivesse chamado sua atenção. Depois, passa uma sombra estranha por seu rosto.

– Que foi? – pergunto, olhando em volta. – Qual é o problema?

Mas não preciso esperar pela resposta. Meu olhar recai no espaço vazio do chão onde antes estava o corpo inconsciente de Cody.

Maxxer olha de um lado a outro da sala, sem resposta. Vira-se para mim e com os olhos tomados de pânico, pergunta:

– Onde está a criança?

41
TRAÍDO

❖

— Pela última vez – ouço um grito –, eu *não sou* uma criança!

Nós duas giramos o corpo e vemos Cody saindo de baixo da mesa, apontando o Modificador para Maxxer.

— Cody — digo com gentileza, aproximando-me dele. — Baixe isto.

Mas ele o agita freneticamente, obrigando-me a recuar.

— Não chegue perto de mim! — Ele está amedrontado e estupefato. Seus olhos estão arregalados como jamais vi. A respiração é tensa.

— Cuidado com isso — alerta Maxxer, assentindo para a mão de Cody. — Os Modificadores podem ser complicados e extremamente perigosos para quem não sabe usá-los.

Cody, porém, ignora prontamente Maxxer, empurrando-a contra a parede com alguns giros ameaçadores da mão.

— O que é este lugar? — pergunta ele, com a voz falhando. — Parece que estou dentro de um depósito.

— É isso mesmo — responde Maxxer com paciência.

O rosto de Cody se contorce de medo. Ele lança um olhar duro e acusador para mim.

— Eu te falei! Eu te falei para não entrar naquele carro! Eu sabia que essa mulher era mau negócio. Mas você me escutou? Nãããoo! Quem dá ouvidos a uma *criança* de treze anos?

Ninguém! E agora vamos ser assassinados e apodrecer num depósito!

Balanço a cabeça e tento me aproximar dele de novo.

— Cody, você entendeu tudo errado. A dra. Maxxer está do nosso lado.

Mas Cody me faz calar a boca de imediato.

— Do *nosso* lado! — grita ele. — Nosso lado? Você e eu *não estamos* do mesmo lado. Eu nem mesmo sei quem ou *o que* você é! — Ele me olha com tanta mágoa que meu peito chega a doer.

— Quanto da nossa conversa você ouviu? — pergunto-lhe, tentando continuar calma.

— O bastante — responde ele incisivamente. Depois, com a outra mão, aumenta um pequeno controle na lateral do Modificador.

— Não! — exclama Maxxer para ele, avançando às pressas. — O ajuste está forte demais!

— Cale a boca! — responde ele aos gritos.

— Cody, por favor — imploro. — Você precisa confiar em mim.

— Não confio mais em você — decide ele. — Isso só me meteu em problemas.

Olho para Maxxer, que assente sutilmente para mim. Sei o que devo fazer. Por mais que deteste.

— Cody — digo. — Me desculpe.

— Me poupe — vocifera ele. — Já era, acabou.

— Eu quero dizer — digo com brandura —, desculpe-me por isto.

Sua testa se enruga enquanto ele me olha, confuso.

— Do que você está falan...

Atiro-me para ele com uma velocidade tal que ele não tem tempo de reagir, nem terminar a frase. Atinjo seu braço primeiro, lançando-o para cima, rezando para não ouvir nenhum osso se quebrar.

Cody grita de dor e o Modificador sai voando. Maxxer salta para pegá-lo.

Passo uma rasteira nas pernas de Cody e seguro seu corpo enquanto cai ao chão, protegendo a cabeça para que não bata no concreto.

Maxxer mexe no controle lateral do dispositivo enquanto Cody se contorce em minhas mãos, debatendo-se para um lado e para o outro. Prendo seus ombros com os braços e uso os joelhos para manter as pernas no lugar. Não é difícil contê-lo. Sua força insignificante não é páreo para a minha.

É com seus olhos que tenho problemas.

Ele me fuzila com tal ódio, tanto asco, que preciso virar a cara. Ele pensa que eu o traí.

— Rápido! — digo a Maxxer, que se aproxima com o Modificador.

Cody luta ainda mais.

— Sua... sua... vaca! — grita ele.

— Anda logo! — grito para Maxxer.

Maxxer se ajoelha. Cody sacode a cabeça, recusando-se a dar acesso direto a ela. Abaixo-me e pressiono seu rosto com o braço, tentando mantê-lo parado enquanto Maxxer coloca a ponta metálica do dispositivo abaixo da orelha esquerda de Cody.

Ouço um leve zumbido e o corpo dele volta a ficar flácido. Solto um suspiro e me coloco de pé. Quando baixo os olhos para sua forma inconsciente, as lágrimas de imediato brotam em meu rosto.

Maxxer põe a mão em meu ombro, mas é de pouco conforto para mim.

— Agora, a única coisa de que ele lembrará a meu respeito é isso — lamento. — É o que sempre serei para ele. Um monstro que o atacou e o conteve enquanto alguém desativava seu cérebro.

A ideia me faz chorar ainda mais.

Maxxer aperta meu ombro.

– Não será assim – diz ela.

– Sim, será – respondo em voz baixa. – Você não viu como ele me olhou. Ele pensa que eu o traí. E sempre pensará.

– E eu lhe garanto que não vai pensar. – Maxxer fala com tanta convicção que minhas lágrimas secam quase de imediato. Fungo e o olho de cima.

– O que quer dizer com isso?

Maxxer se afasta de mim e volta à mesa. De uma pequena caixa de madeira, extraordinariamente parecida com aquela que Zen carregava no bolso, retira três pequenos discos de borracha – receptores – e se ajoelha ao lado de Cody.

– Ele ouviu demais – explica Maxxer, mexendo na cabeça de Cody de modo a colocar corretamente um disco atrás de cada orelha e outro na nuca, perto da linha do cabelo. – As informações que ele tem só o colocarão em perigo.

– Você vai apagar a memória dele – digo com uma percepção entorpecida.

Maxxer suspira e se levanta.

– Não temos alternativa. Se ele contar a alguém o que viu ou ouviu hoje, colocará a própria vida em perigo. Assim como a dos pais. Para não falar nas consequências sociais e ridículas para um menino de treze anos ficar andando por aí alegando ter encontrado gente do futuro.

Enxugo os olhos e concordo com a cabeça.

– Quanto você vai tirar?

Ela volta ao computador.

– Tudo o que aconteceu hoje.

– Mas os pais dele – digo. – Eles pensam que o filho está na casa de um amigo, Marcus. Foi o que ele lhes contou.

Maxxer assente.

– Tudo bem. Vou substituir o dia de hoje por uma lembrança dessas. Posso ter acesso a uma experiência semelhante do passado e criar um padrão a partir daí.

– Jogos de computador – digo baixinho. – Ele gosta de jogos de computador. Coloque isso também.

– Está bem. – Maxxer começa imediatamente a trabalhar.

Solto um suspiro de alívio, mas ainda estou emocionalmente abalada. Embora esteja agradecida por Cody não vir a se lembrar de nada disso, que ele vá despertar amanhã de manhã ainda pensando em mim como uma espécie de "supermodelo amnésica", como ele me chamou, *eu* saberei a verdade. Ainda me lembrarei da última vez que ele me olhou e o horror que vi em seus olhos.

E jamais poderei me esquecer disso.

Mas acho que mereço.

Eu não deveria tê-lo envolvido. Deveria tê-lo deixado naquela lanchonete e partido sozinha com Maxxer. Melhor ainda, eu nunca devia ter pedido a ajuda dele por telefone. É minha culpa, e agora terei que conviver com a lembrança das consequências.

Mesmo que ele não se lembre.

Um bipe estridente interrompe meus pensamentos. Alarmada, Maxxer ergue os olhos do computador e eu analiso a sala escura procurando a origem. Acompanho o som até a mesa de Maxxer, onde encontro o celular que Cody me deu.

Pego o telefone e observo com curiosidade.

– O que é? – pergunta Maxxer.

– Uma nova mensagem de texto – digo, encostando na tela.

– O que diz?

Depois de algumas tentativas, finalmente aprendo a abrir a mensagem e ler. Mas não entendo o que significa.

— São apenas dois números compridos — digo, a testa franzida.

— Números? — repete Maxxer, aproximando-se de mim.

— É — respondo, confusa. — 35.35101 e -117.999523.

Maxxer fica petrificada.

— De quem é essa mensagem de texto?

Olho a tela de novo.

— Aqui diz "número desconhecido".

— De que número Alixter telefonou para você da última vez?

Sinto a cor sumir de meu rosto.

— De um número desconhecido.

Olho o telefone.

— Mas o que significam esses dígitos?

— São coordenadas de GPS — Maxxer me informa. — Alixter está lhe dizendo onde encontrá-lo.

42
DESPEDIDAS

❖

**O carro de Maxxer está estacionado em uma garagem mal-
-iluminada** perto do depósito. Ajudo a carregar um Cody inconsciente para o veículo e prendê-lo no banco traseiro antes de contornar às pressas até o lado do carona. Maxxer senta-se ao volante.

Ela gira a chave na ignição e o motor ganha vida. Tira meu celular emprestado do bolso e me mostra. A imagem na tela não me diz grande coisa. Tons de vermelho em camadas com marrom-claro. E uma luz azul intermitente marcando um ponto bem no meio.

— De acordo com isto, fica perto de um lugar chamado Red Rock Canyon — explica ela. — Mas estas coordenadas exatas ficam no meio do nada. A cerca de quinze quilômetros de qualquer estrada ou rodovia estadual. Creio que Alixter a esteja levando a um lugar remoto para evitar uma cena pública. — Ela me entrega o telefone. — Posso deixá-la perto, mas você terá que fazer o resto do percurso a pé.

— Não tem problema — concordo.

— E só por segurança... — começa ela, abrindo um sorriso escusatório.

Concordo com a cabeça.

— Eu sei.

Ela pega o Modificador e gira o controle no sentido anti-horário.

– Vou colocar em ajuste baixo. Você só ficará apagada por quinze minutos. Só até que estejamos longe daqui.

Fecho os olhos e me recosto no banco, convidando-a a fazer o que precisa.

Sinto a picada do metal frio e a fraca vibração da eletricidade fluindo por meu sistema nervoso e depois...

Quando desperto, estou em uma estrada escura e vazia. Não havia notado quanto já era tarde. O dia já acabara. Maxxer dirige em silêncio, os olhos concentrados na estrada.

– Está muito longe? – pergunto.

Ela dá um leve salto ao ouvir minha voz, mas rapidamente se recompõe.

– Uns quarenta e cinco minutos.

Enquanto seguimos de carro, penso em Zen.

No que estou disposta a fazer por ele.

Depois desta noite, estarei de volta. Ao complexo da Diotech, de onde saí. Onde tudo isso começou.

Só que, desta vez, Zen não estará lá.

De maneira nenhuma eles permitirão que Zen volte. De jeito nenhum permitirão que eu me reencontre com ele.

Mas vale a pena. Se eu souber que ele está vivo, poderei conviver com minha decisão.

O significado do poema nunca ficou mais claro para mim do que neste momento.

"*Amor não é amor se ao enfrentar alteração se altera.*"

As circunstâncias não podem mudar o que sinto. Quando se ama verdadeiramente alguém – em um nível mais profundo do que sua mente, mais fundo do que suas lembranças, até a essência que o torna humano – você faz o que é necessário.

Você o salva.

Só torço para vê-lo mais uma vez.

— Está com medo? — pergunta Maxxer.

Reflito. Acho que na realidade até agora não pensei muito nisso. Estive preocupada demais em encontrar Zen. Em salvá-lo. Protegê-lo. Nem parei para pensar no meu próprio futuro. Em como será quando eu voltar ao complexo da Diotech.

A verdade é que não faço ideia de como será minha vida depois desta noite. Não sei o que farão comigo, porque não tenho lembrança de nada do que já fizeram.

Só o que sei é que não estarei com Zen.

E essa é a ideia mais apavorante de todas.

— Sim — respondo por fim. — Estou com muito medo. Mas preciso fazer isso. — Respiro. — Eu o amo.

Maxxer concorda com a cabeça.

— Eu sei.

Viro-me e examino seu rosto, as luzes do painel refletidas nas lentes dos óculos. Não sei onde estaria sem Maxxer, e ainda assim ela é muito misteriosa para mim. Um enigma. Há muita coisa a seu respeito que não sei. E de repente me ocorre *quanto* ela parece saber sobre mim. Praticamente tudo, na verdade. Ela sabia que era eu no chat com ela na lanchonete. Sabia onde me buscar. Do telefonema com Alixter. Toda a minha história com Zen. Como cheguei aqui e tudo o que me aconteceu desde então. Ela sabia exatamente *o que* eu queria saber.

É como se ela estivesse um passo à minha frente o tempo todo.

E eu nem mesmo pensei em perguntar sobre isso, até agora. Fiquei tão envolvida *no que* ela sabia que não parei para pensar em *como* poderia saber.

— Qual é o problema? — pergunta ela, evidentemente sentindo que eu a encaro.

— Como você sabe tanto a meu respeito? Você saiu da Diotech antes de mim, e ainda assim esteve falando a respeito de tudo como se estivesse lá. Tinha *todas* as respostas. E, a certa altura, até parecia ter as perguntas também. Além disso, quando estávamos no chat on-line, você sabia que era eu. Sabia onde eu estava e até quando meu telefone ia tocar. Você não poderia saber de tudo isso, a não ser que...

— A não ser o quê?

— A não ser que... — recomeço, mas não consigo chegar a uma resposta lógica.

— A não ser que já tivesse visto *exatamente* como seria este dia — diz ela, abrindo-me um sorriso astuto.

Viro-me, boquiaberta.

— Como?

Ela procura no bolso da calça e pega um dispositivo preto, retangular e pequeno.

— Estive gravando suas memórias — explica Maxxer.

— O quê?

— Não foi à toa que deixei seus receptores depois de desativá-la. — Toco um dos pequenos discos de borracha que ainda se funde com minha pele. — Eles estiveram enviando informações a este disco rígido desde que você entrou no carro. Estive descarregando tudo de que você se lembra sobre nosso encontro. As pesquisas na internet. O chat na lanchonete. O telefonema de Alixter. Até a nossa conversa no depósito. E depois que eu deixar você...

— Você vai transeder no tempo e recuperar o disco — concluo, as peças finalmente se encaixando.

Ela sorri, radiante de orgulho.

— Você *é mesmo* inteligente.

— Então, você sabia o que ia acontecer hoje? Porque já viu minhas lembranças de tudo?

— Exatamente — confirma Maxxer.

— Mas... — começo, pensando nas últimas horas — como você não sabia que Cody ia despertar e roubar o Modificador?

Ela dá de ombros.

— Na realidade, eu sabia. Mas precisava deixar que acontecesse mesmo assim. Era importante me certificar de que os acontecimentos do dia fossem *exatamente* como os que vi em sua memória. Qualquer distorção causaria graves problemas. E como eu sabia que tudo terminaria bem — ela assente para Cody, inconsciente no banco traseiro —, não valia a pena mudar nada.

— Quer dizer que você sabe o que vai acontecer agora? — pergunto com urgência. — Quando eu me encontrar com Alixter. Sabe se Zen está bem?

Maxxer meneia a cabeça melancolicamente.

— Lamento, mas não sei. Quando você sair deste carro, a gravação para. Não faço ideia do que vai acontecer depois.

Vinte minutos mais tarde, Maxxer para o carro no acostamento da estrada e desliga o motor. Olho pelo para-brisa, mas não há muito para ver. Pela escuridão, não consigo divisar nada além de quilômetros de montanhas de rocha vermelha e escarpada.

Maxxer tira o telefone de meu colo e me mostra a tela.

— Como pode ver, agora estamos em 35.34128, -117.971756. O que significa que você terá que andar aproximadamente quatro quilômetros e meio para o noroeste e chegar às coordenadas enviadas por Alixter.

Concordo com a cabeça, sentindo meu estômago começar a se agitar.

— Tudo bem.

— Você devia levar o celular. Vai levá-la ao lugar certo.

Eu o coloco no bolso.

— Obrigada. — Depois, com um suspiro fundo, saio do carro. Abro a porta traseira e me enfio para dentro. Cody ainda está desmaiado. Seu corpo está esparramado pelo banco, o rosto pressionando o couro preto do estofamento.

— Tem certeza de que ele vai ficar bem?

— Ele ficará ótimo — garante-me Maxxer. — Vou levá-lo para casa e colocá-lo na cama. Quando ele acordar de manhã, não vai se lembrar de nada disso. Nem de mim.

Sei que provavelmente jamais voltarei a ver Cody. Nem Heather. Tampouco Scott. A ideia me entristece, mas entendo que é assim que deve ser.

Curvo-me e cochicho no ouvido dele:

— Adeus, Cody. — E embora eu saiba que ele não pode me ouvir e não se lembrará de nada disso, acrescento: — Quando eu voltar ao meu planeta natal, vou mandar para você a supermodelo de treze anos mais gata que conseguir encontrar.

Depois dou um beijo suave em sua face exposta. É a primeira vez que beijo alguém depois de ter perdido a memória. E mesmo sabendo que não é o tipo de beijo que testemunhei entre mim e Zen quando estávamos no complexo, ainda enche meu corpo de calor.

Faço um carinho em seu cabelo louro e fecho a porta traseira. Contorno a frente do carro e Maxxer abre a janela.

— Bem — digo com um sorriso amarelo —, acho que isto é um adeus.

Ela estende o braço para fora e segura minha mão.

— Tenha cuidado.

— Eu terei.

Começo a me virar, mas paro quando ouço a voz de Maxxer:

— Mais uma coisa.

— O que é?

Ela fecha os olhos por um breve momento, como se tentasse escolher as palavras certas. Quando os abre, sua expressão é serena. Plácida.

– Confie em seu coração – diz ela, o olhar vagando para baixo por um momento, na direção do meu peito, antes de voltar aos meus olhos. – É a única coisa que jamais mentirá para você.

43
QUEDA

❖

Começo a correr e ganho velocidade a cada segundo, sentindo a pontada fria de umidade nas bochechas. Não tinha percebido que voltara a chorar.

Mas o vento quente sopra em meu rosto, arrancando rudemente as lágrimas, e o clima árido do deserto logo seca a pele. Sem deixar vestígio do choro. Ou das emoções que o invocaram.

Corro na maior velocidade e com a maior força que posso. Embora o mapa ainda seja exibido no celular em meu bolso, não preciso olhar. Já o decorei. Além disso, é quase como se minha mente soubesse exatamente aonde ir. Como se tivesse em funcionamento algum sistema de GPS interno. Meu corpo conduz a si mesmo.

Chego à base de uma elevada formação rochosa, reduzo e paro. A face rochosa é espetacular. Tingida em listras grossas de vermelho queimado, cinza e branco arenoso. Torres grandes parecem ter sido entalhadas diretamente ali. Como centenas de castelos em miniatura empilhados lado a lado. O resultado é ao mesmo tempo magnífico e arrepiante.

Olho o pico. Paira, ameaçador. Eleva-se várias centenas de metros. Fica ainda mais atemorizante com a noite escura e o luar fraco refletido no topo.

Pelo tanto que corri e pela direção a que me oriento agora, sei que as coordenadas me levam diretamente para lá. A este cume.

É ali que os dois números se encontram: 35.35101 e -117.999523.

Onde se cruzam.

Colidem.

Onde *tudo* entra em colisão.

Meu passado e meu futuro.

Aquele que eu amo e aquele que desprezo.

A liberdade de Zen e a minha prisão.

É a lembrança do rosto de Zen que me faz avançar. A sensação de seus braços em mim, a boca apertada na minha, o som doce da sua voz prometendo que jamais conseguirão tirá-lo de mim.

Enquanto encontro uma fenda na pedra e posiciono o pé para tomar o primeiro impulso para cima, sei que Zen tinha razão.

Não importa o que acontecer, o que fizerem comigo, ele sempre estará presente. Mesmo que eu não consiga me lembrar dele.

A subida é difícil. Às vezes, sou obrigada a escalar a lateral do monte usando apenas pequenas marcas no penhasco para colocar as mãos e os pés. Minha força se mostra vantajosa em várias ocasiões. Escorrego diversas vezes, quase mergulhando no chão, centenas de metros abaixo. Mas ainda alcanço o topo em menos de vinte minutos.

Empurro meu corpo para o alto usando as mãos e jogo as pernas por ele.

Não sei o que espero ver quando me levanto e espano a poeira vermelha das roupas, mas a visão ainda me surpreende.

Está vazio.

Não há absolutamente nada além de uma vista milagrosa das estrelas e uma cadeia montanhosa reluzente de rocha vermelha.

Me deparo com um círculo pequeno, observo cada metro quadrado do cume, mas não encontro sinal de vida.

Será um truque?

Eles nem mesmo vão aparecer?

Mas por que me fazer vir aqui à toa? Se eles de fato me querem, por que não estariam aqui para me capturar?

Vou ao outro lado do pico e olho pela beira. Não há nada além de pedra afiada, irregular e cor de ferrugem até onde a vista alcança. A queda no que suponho que seja o Red Rock Canyon parece infinita. Como se não tivesse fundo. Continua para sempre, até que você cai do outro lado da terra.

Mas não é a profundidade do cânion que chama minha atenção.

É a grande fresta que parece ter sido cortada na lateral do paredão, bem abaixo de mim. Parece a boca de uma caverna.

Tiro o telefone do bolso e verifico minha localização. Como eu suspeitava, estou bem acima do ponto azul intermitente. Agora entendo. As coordenadas de GPS têm apenas dois números. Duas dimensões. Longitude e latitude, X e Y. Não têm Z.

E com não há nada aqui, só pode significar uma coisa.

O verdadeiro destino deve estar *abaixo* de mim.

Dentro desta caverna.

Espio pela beira de novo. A entrada da caverna fica a uns três metros. E a abertura tem uma aba que se projeta alguns centímetros do resto do paredão. Se eu me pendurar deste lado e me deixar cair, teoricamente terminarei naquela aba. Apenas *se* eu conseguir pousar na ponta dos pés e manter o equilíbrio por tempo suficiente para me jogar na caverna.

Devolvo o celular ao bolso e tiro o medalhão do pescoço. Passo a corrente algumas vezes pelo braço, até que o emblema preto e prateado em formato de coração fique pendurado no meu punho.

Assim que estiver em segurança na aba, vou deixar que ele caia no cânion.

A Diotech certamente vai confiscar se o encontrar em mim e não suporto a ideia do medalhão em posse deles. É valioso demais.

Se não posso ficar com Zen, o medalhão não tem propósito real.

E prefiro que esteja no fundo deste vazio do que nas mãos das pessoas que nos separaram.

Respiro fundo enquanto me coloco de joelhos e lentamente engatinho para trás. Meu pé esquerdo encontra a borda primeiro, deslizando por ela e se pendurando precariamente. Tateio, procurando qualquer pedra ou superfície irregular para usar como escora, mas não encontro nada.

Algumas pedrinhas caem pela beira e espero ouvi-las batendo no chão, mas o ruído não vem.

O cânion é fundo demais. Até para meus ouvidos.

Em seguida, passo o pé direito, ajeitando a pegada no terreno pedregoso. Continuo a deslizar para trás, de bruços, até que estou completamente pendurada na beira do paredão.

Não quero olhar para baixo, mas preciso, para me alinhar com a abertura da caverna, de modo que eu saiba que vou cair exatamente na projeção da pedra.

A visão do abismo infinito abaixo de mim provoca tremores de pavor por meu corpo, retesando músculos e entorpecendo meu cérebro.

Inspiro e solto o ar, esforçando-me para manter o controle.

Só tenho uma chance de fazer isso. Preciso me acalmar.

Engolindo em seco e tomando uma grande golfada de ar, aponto os dedos dos pés, imagino os belos olhos castanhos de Zen e me deixo ir.

Parece que estou caindo para sempre. Mentalmente, consigo convencer-me de que errei a beira da caverna e continuarei descendo até o fim dos tempos. Ou até chegar ao fundo deste cânion. O que vier primeiro.

Também consigo me convencer de que, sem mim, Zen não têm utilidade para eles. Que minha morte o libertará. E que talvez essa não seja a pior opção do mundo.

Mas meus dedos dos pés batem em algo duro. Meus olhos entram em foco bem a tempo de ver o túnel escuro diante de mim, e percebo que pousei exatamente onde queria.

Porém, também noto que a aceleração da queda me tirou o equilíbrio e me sinto tombando para trás. Meus calcanhares cavam o nada e jogo meu peso para a frente, lutando para ficar na ponta dos pés... e na projeção rochosa.

Mas devo ter tentado compensar a queda com força demais, porque enquanto a metade superior do corpo voa para a frente, a inferior é arremetida para trás. Minhas pernas caem no vazio e sinto o resto de mim ser arrastado com elas.

Meu peito bate no chão duro, arrancando-me o fôlego. Luto para me agarrar em alguma coisa, cravo as unhas na inútil terra cor de escarlate.

Pop, pop, pop, pop, pop.

Uma por uma, quebra-se cada unha comprida e bem talhada. E agora só tenho a ponta dos dedos para usar como tração. Mas é macia demais para se agarrar a alguma coisa.

A gravidade não pode ser vencida nem por mim. É forte demais e inexorável. A pedra áspera arranha a pele da barriga, do peito e dos braços. Escorrego cada vez mais, perdendo força de vontade e esperança a cada segundo que passa.

Até que não tenho mais para onde ir, senão para baixo.

44
OCO

◈

Fecho os olhos e me rendo à atração do abismo. Quando deixo de lutar, caio com velocidade muito maior. É uma sensação libertadora. Minhas mãos, em vez de lutarem para se agarrar a alguma coisa, deslizam suavemente e sem esforço pela poeira âmbar.

É tão fácil simplesmente deixar que a gravidade assuma o controle do meu destino, que quase nem parece real.

E, quem sabe, talvez não seja.

Talvez tudo isso seja outra memória implantada e quando eu abrir os olhos estarei de volta ao complexo com Zen, contando histórias de nossa tentativa de fuga no passado.

Mas sei que só estou enganando a mim mesma.

Nada em minha vida me pareceu mais real do que este momento.

A morte não é uma lembrança que se possa fingir.

Minha mão inesperadamente se encaixa na estrutura sólida de algo macio e sou jogada para trás. Por instinto, meus dedos envolvem o que acabaram de tocar, e minha queda é interrompida quando estou prestes a desaparecer pela beira.

Meu corpo leva um puxão e para. A mão de alguém segura o misterioso objeto da salvação enquanto o resto do meu corpo fica precariamente pendurado acima do interminável precipício. Contorço-me e puxo até conseguir passar a outra mão pela mesma superfície.

Estico o pescoço e enfim consigo enxergar o que me salvou. O objeto macio e coriáceo em que penduro minha vida.

É o calcanhar de uma bota preta e grande.

Ligada a um homem ainda maior.

Reconheço imediatamente suas feições severas e grosseiras, a cara marcada, o cabelo cortado bem rente.

Ele estende a mão imensa e rachada, envolve meu braço com ela e me puxa para cima.

Ele age depressa. Assim que estou mais uma vez de pé, puxa meus braços pelas minhas costas e os fecha na mesma corrente de metal que usaram para me deter no estábulo antigo e arruinado. Aquelas das quais Rio me soltou.

Ele não deve perceber o colar enrolado em meu braço nem o medalhão pendurado na face interna do punho, porque não tenta retirá-los. Consigo fechar o amuleto na mão, escondendo-o.

Não digo a ele que as amarras são inúteis. Não vou lutar. Nem fugir. Apesar de cada fibra do meu corpo gritar para que eu faça isso.

Talvez algumas emoções humanas simplesmente sejam mais fortes do que o DNA.

Além disso, eu concordei em ser levada. Estou me rendendo. E foi exatamente o que vim fazer aqui. A resistência só arrastaria ainda mais esse processo.

Depois que termina de prender meus braços às costas, ele me empurra para a frente e entramos na caverna. É mais funda do que pensei. Caminhamos por pelo menos cinco minutos. Por fim, ambos temos que nos abaixar para chegar ao que suponho que seja o centro.

O túnel se abre num teto grande e redondo. É iluminado por quatro tochas acesas. Do teto, pingam longas formações rochosas como pingentes de gelo, pendendo perigosamente acima de mim, aparentemente posicionadas para se romper e empalar alguém ao movimento mais sutil.

Outro agente está no meio da câmara. Uma versão mais magra e mais escura de meu atual acompanhante. Eu o identifico como o homem que me prendeu no estábulo.

Bem aos pés dele, sentado no chão, vejo Zen. Suas mãos também estão amarradas às costas. Cortes e hematomas feios marcam o rosto bonito, e a bochecha esquerda está coberta de sangue seco.

A emoção me domina e tendo a correr até ele, mas sou obrigada a parar quando surge das sombras um homem baixo, de meia-idade, cabelo louro-claro, olhos azuis gélidos e pele bronzeada e macia, que coloca um Modificador a centímetros da têmpora de Zen.

— Olá, Sera — cumprimenta ele numa voz grave e enervante que reconheço do telefonema e de meus pesadelos.

— Alixter — sussurro.

— Então você *se lembra* de mim — diz ele, demonstrando satisfação. — Sabe o que é isto? — Ele sacode um pouco o Modificador.

Faço que sim com a cabeça.

— Ótimo — diz ele num tom gelado. — Então, você não vai se aproximar mais. Porque eu o programei em um ajuste que gosto de chamar de embaralhar. Um disparo disto e Zen não será mais de grande utilidade para você.

Entendo o argumento e me afasto.

— O que você fez com ele? — pergunto, a voz tremendo enquanto vejo os diversos ferimentos.

Zen levanta a cabeça e nossos olhos se encontram pela primeira vez. Vejo muita dor em seu rosto, mas ele ainda consegue me abrir aquele extraordinário sorriso torto que eu amo tanto.

Alixter dá de ombros e se aproxima alguns passos de mim.

— Nada que o tempo não possa curar. E um pouco de antisséptico. — Ele gesticula para o chão atrás de mim. — Por que não se senta?

Fico de joelhos e me encosto à parede de pedra. É fria em minha blusa manchada de suor.

Alixter assente em direção ao agente que me trouxe para cá.

— Reviste a garota — ordena.

Enquanto o homem das cicatrizes na cara anda ameaçador até mim, aperto o medalhão na mão, desejando tê-lo jogado pela beira quando tive a oportunidade.

Agora, ao que parece, o presente de Zen — assim como eu — acabará nas mãos da Diotech.

Ele me agarra pelo cotovelo e me puxa para cima. Dou um adeus triste e silencioso ao medalhão e a tudo o que ele representa — o amor eterno, a liberdade, a fuga — e lentamente deixo que escorregue de meus dedos. Ele produz um tinido suave na superfície de pedra e rezo para que passe despercebido.

O segurança mete a mão em todos os meus bolsos, retirando o celular emprestado. Zen observa atentamente do outro lado do ambiente, os olhos em pânico. Ele pensa que ainda tenho o disco rígido.

Mas pelo menos tive inteligência suficiente para deixá-lo com Maxxer.

Quando o segurança termina de mãos vazias, sinto que Zen relaxa um pouco.

— Ela está limpa — anuncia a Alixter. — Só o celular.

Ele me empurra para o chão.

— Com gentileza — reprova Alixter suavemente. — Não estrague a mercadoria. — Depois sorri para mim com astúcia. — No seu lugar, eu não tentaria me soltar. Sei exatamente quanto você é forte. E essas correntes são customizadas para suas especificações. *Fora* de seu alcance.

Encaro-o, enfurecida. Vê-lo me faz tremer de medo, mas procuro não demonstrar.

– Não tenho a intenção de fugir – digo. – Vim aqui para cumprir minha parte no acordo.

– Ah, sim – responde Alixter de um jeito tortuoso. – O nosso *acordo*. É claro. Mas você deve entender que é complicado confiar em você, em vista de seu – ele descreve um círculo lento com a mão –, hmm... *histórico* de insubordinação.

Ele olha de mim para Zen e volta a mim.

– Diga-me, *para onde* vocês dois pretendiam ir? Porque *sei* que não era aqui.

– Não conte a ele. – Zen me alerta, a voz tensa e áspera.

Fico em silêncio. Mas não por ordem de Zen. De jeito nenhum vou contar *alguma coisa* a este homem.

Alixter nos examina de novo.

– Tanta solidariedade – reflete. – Até o fim. – Ele solta um suspiro longo e prolongado. – Não importa, depois de levarmos você de volta ao laboratório, conseguiremos encontrar todas as informações de que precisamos. – Ele dá um tapinha na testa.

Sinto os três receptores ainda presos à minha cabeça. Sem dúvida, depois que eu voltar, eles os usarão – ou algo parecido – para desencavar todas as lembranças que quiserem. Na verdade, não seria surpresa se eles zerassem inteiramente meu cérebro. De volta à primeira casa.

Depois de eu ter avançado tanto.

A ideia me faz tremer.

– E então – continua Alixter –, talvez possamos entender como corrigir esta pequena fraqueza que você parece ter. – Ele gesticula para Zen, que está tão frágil e espancado que mal consegue se sentar ereto. – Foi algo que sem dúvida não prevíamos. – Alixter belisca o queixo entre o polegar e o indicador. – Veja bem, quando decidimos criar você...

um espécime genético perfeito com velocidade, força, inteligência, beleza, imunidade a doenças... sinceramente, não esperávamos que tivesse muitas características humanas. Na verdade, nós a programamos intencionalmente para ser dócil e obediente. Com as modificações cerebrais e genéticas que fizemos, nossa pesquisa indicou que você se comportaria como um robô. Uma serviçal condescendente. Incapaz de insubordinação ou de sentir muita emoção. E certamente incapaz de se *apaixonar*.

Ele diz a palavra como se lhe provocasse náuseas.

– Mas é claro que algo em nossos cálculos estava errado, porque aqui estamos. – Ele abre bem os braços e solta uma risada sinistra. – Ficou mais do que evidente que você não era o que esperávamos quando fugiu do complexo. E depois fugiu dos meus agentes. Em vez de vir de boa vontade. Foi quando, enfim, entendi que capturá-la seria um pouco mais complicado do que eu esperava.

Ele começa a andar a esmo, o tempo todo de olho em mim.

– Mas eu devia ter visto a verdade antes. Desde o início, você demonstrou certo espírito ardoroso com relação a seus direitos. Uma tendência à rebeldia. Acho que foi por isso que Rio sempre a chamou de Seraphina... significa "a feroz"... em vez do nome que dei a você.

Por mais revoltante que fossem as palavras de Alixter, ainda tive uma satisfação peculiar em ouvi-las. Pelo menos eu *tinha* uma tendência à rebeldia. Pelo menos lutei.

– É claro que não era verdadeiramente um nome – reflete ele. – Era só uma abreviatura para a sequência de DNA que finalmente deu certo. Veja bem, tivemos várias tentativas fracassadas antes de você surgir. Mas a sequência E, recombinação A foi a que teve sucesso. S:E/R:A. Porém, como eu disse, ninguém esperava que você *precisasse* de um nome, em vista de sua natureza prevista. Quando descobrimos que você na realidade era bem humana, imaginamos que Sera era um nome tão bom quanto qualquer outro.

Ele para de andar por tempo suficiente para passar os dedos pelo cabelo louro claro e sedoso.

— Pensando bem agora — continua —, deveríamos ter usado nossos recursos para criar uma *adulta*. Assim talvez não estivéssemos nesta situação. Os adolescentes podem ser muito irresponsáveis. Muito imprudentes e desorientados. Só porque *pensam* que estão *apaixonados*.

Sua voz subitamente assume um caráter cantarolado e agudo, e mais uma vez ouço a repulsa que ele imprime à palavra.

Alixter para de andar e se aproxima de mim, curvando-se e chegando perto o bastante do meu rosto para que eu sinta o cheiro de seu hálito. Quase me dá ânsias de vômito.

— Escolhemos dezesseis porque é uma idade perfeita — diz ele, a voz lisa como vidro. Ele engancha um dedo em uma mecha de meu cabelo. — Época em que um ser humano... em particular uma mulher... é mais saudável, visualmente impressionante e fisicamente apta.

Ele se curva e sente o cheiro do meu cabelo, respirando fundo antes de deixar que caia mole em meu ombro.

— Mas é evidente que foi um erro. — A repulsa está de volta à sua voz enquanto ele se ergue. — Um erro que certamente remediaremos assim que for possível. Desta vez, nos *certificaremos* de que você não poderá raciocinar por conta própria.

Ouço um ruído baixo na abertura do túnel e meus olhos disparam naquela direção. Tem mais alguém aqui?

— Sera, fuja! — grita Zen, tirando proveito do intervalo na conversa. É evidente que ele está usando cada grama de energia que lhe resta. — Me esqueça!

— Desculpe. — Tento transmitir exatamente o que sinto por ele com um único olhar. — Não posso.

Alixter parece achar graça nesse diálogo. Ele sorri com satisfação.

— Veja você, é disso que estou falando — explica. — Apesar de cada modificação que fizemos em seu DNA para garantir que desconfiasse de estranhos, você ainda continuou se apaixonando por ele repetidamente, confiando nele às cegas, contrariando cada instinto que a alertava a não fazer isso. — Alixter estala a língua no céu da boca. — O livre-arbítrio simplesmente não é o seu forte, Sera. Matemática, ciências e línguas, é *nisso* que você é excepcional, mas tomar decisões sensatas e delicadas com base na razão e na lógica? Nem tanto. É uma grande dicotomia.

Ele olha para Zen e exibe na cara uma carranca artificial.

— Infelizmente, ele tem razão. Você *deveria* se salvar. Quer dizer, não me leve a mal. Gosto muito de Lyzender. A mãe dele faz parte de minha equipe. Mas *você* — ele me aponta com as duas mãos, o orgulho faiscando pelo rosto —, você vale trilhões de dólares. Simplesmente não tem comparação.

Ouço outro passo na abertura da caverna. E desta vez, ao que parece, Alixter também ouve, porque ergue os olhos e um sorriso dissimulado se abre em seus lábios.

— Rio — declara ele, aparentando satisfação. — Que prazer ter você conosco. Bem-vindo à nossa festinha.

Minha cabeça se levanta repentinamente e vejo Rio entrando na caverna, segurando uma arma preta e reluzente. Está apontada para a cabeça de Alixter.

O agente de pele negra ao lado de Zen reage, preparando-se para atacar.

— Eu não faria isso — avisa Rio, gesticulando. Alixter dá uma ordem ao agente com um gesto de cabeça e ele se retrai.

— Sera — diz Alixter formalmente —, você se lembra do meu sócio, o dr. Havin Rio.

— Entregue-a — exige Rio. Sua voz é grave e inflexível. Um forte contraste com o jeito com que ele falava comigo.

Alixter ri disso.

— Ah, Rio. Sempre o idealista. Ora, por que eu faria uma coisa dessas?

Rio avança um passo, brandindo a arma.

— Porque vou matá-lo se não fizer.

Alixter balança a cabeça lateralmente, pelo visto considerando a validade da ameaça.

— Parece que a vantagem aqui é sua — admite Alixter com indiferença, gesticulando para o amplo espaço entre ele e Rio. — Afinal, nós dois sabemos que o Modificador — ele levanta o dispositivo preto — só funciona em contato direto, enquanto *isto* — ele assente para a arma — pode ser usado de longe.

Rio fica em silêncio, mas está bem claro que essa é sua estratégia.

— O que significa que posso *tentar* desativar você, mas estarei morto antes de alcançá-lo. — Alixter estala a língua de novo. — Hmmm... Mas que dilema.

— Não há dilema algum — declara Rio calmamente. — Baixe o Modificador e me entregue a menina, e ninguém vai se machucar.

Alixter ergue as sobrancelhas e dá de ombros antes de finalmente ceder e colocar o dispositivo no chão a seus pés.

— Ótimo. Agora diga a seu valentão ali para soltá-la. — Rio o encoraja.

Alixter puxa o ar, pensativo.

— Eu *poderia* fazer isso, é verdade — concorda ele. — Porém, devo observar que tenho uma vantagem sobre *você*.

Rio estreita os olhos.

— E qual seria?

— Sua tola necessidade de protegê-la — diz Alixter categoricamente. Depois, num borrão, coloca a mão no cós da calça e saca a própria arma. Estende o braço, apontando-a diretamente para mim, levando Zen a gemer de agonia, e a fachada pétrea de Rio se esfarela.

— Alixter, não — implora Rio, a antiga ameaça em sua voz de repente morta.

Eu me retraio ainda mais contra a parede rochosa, tentando meter a cara no peito.

— A vida é mesmo engraçada — observa Alixter insensivelmente. — Confiscamos esta arma quando capturamos Lyzender. — Ele ri. — Acho uma grande ironia que no fim *ele* tenha acabado me ajudando.

Uma expressão de puro ódio faísca no rosto de Zen.

Alixter olha a arma nas mãos, examinando-a com muita curiosidade.

— Hmm... Sempre achei essas coisas ultrapassadas. Tão *arcaicas*. Para não falar que são absurdamente pesadas. — Ele torce a boca de lado. — Não admira que tenham parado de fabricar cinquenta anos atrás.

— Alixter — alerta Rio. — Você não quer fazer isso. Pense nas pessoas a quem você tem que responder. Ela vale demais para você.

Alixter sorri.

— É verdade, mas claramente ela vale mais para você. — Ele baixa a arma alguns centímetros e a aponta para a minha perna esquerda. — Posso consertar qualquer dano superficial que causar, e ela ficará nova em folha. Mas você realmente suportará vê-la sentindo tanta dor? Não deve ser agradável ter um membro inteiro estourado.

Rio fecha os olhos por um momento, seu rosto registrando a derrota, antes de por fim baixar a arma no chão.

— Uma decisão sensata. — Alixter gesticula para o agente negro, que corre pela caverna, pega a arma abandonada e agarra Rio pelo braço, metendo o joelho em sua barriga. Rio geme e se recurva.

– Por favor, não o machuque – choramingo, as lágrimas brotando nos olhos.

Mas ninguém parece me dar ouvidos. O segurança leva Rio até Alixter, chutando atrás de suas pernas até que elas cedem e ele cai de joelhos.

Alixter suspira e mete a arma de Zen no cós da calça.

– Desculpe-me, Rio. Mas, depois disso, não creio que ainda possamos ser sócios. Sua lealdade é questionável.

Rio não responde. Morde o lábio, aparentemente num esforço para reprimir qualquer grito de dor.

– Criamos a Diotech juntos – explica Alixter num tom tristonho, dirigindo-se a mim. – Tínhamos muitas esperanças e muitas aspirações. Eu era formado em administração, mas ele era um gênio e o cérebro por trás de toda a operação. O cientista mais brilhante de sua época, não há dúvida a respeito disso. Infelizmente, porém, meu querido Rio – ele o olha de cima com nostalgia –, você ficou meio mole durante nosso maior e mais importante experimento até o presente. – Alixter aponta a cabeça ambiguamente para o meu lado. – Você infringiu a regra fundamental da ciência: *jamais* se apegar à sua cobaia.

Examino a linguagem corporal de Rio. Seus ombros estão recurvados, a cabeça pende. Se não fosse pela barba ruiva e brilhante, eu diria que ele parece um garotinho assustado.

– Ele coloca as emoções à frente da ciência – continua Alixter, olhando novamente para mim. – Quando vimos que você não era exatamente o que esperávamos, que era mais humana do que qualquer um de nós supunha, sugeri que fosse consertada de imediato. Havia coisas demais em jogo para permitir que você tivesse raciocínio próprio. Que formulasse pensamentos, opiniões e planos de fuga. Alguns ajustes aqui e ali, e poderíamos ter evitado facilmente tudo isso. Mas Rio me convenceu de que o procedimento era desnecessário. Que você podia ser controlada com modificações diárias na memória. Ele ficou tão afeiçoado a você, tão protetor, que a certa altura até tentou me convencer a libertá-la. Pode acreditar nisso? – Ele bufa. – Quase parecia que ele de fato *acreditava* ser seu pai.

Lanço um olhar para Zen. Ele me olha nos olhos e balança a cabeça como quem se desculpa.

– Bem – diz Alixter com um leve grunhido de repugnância –, não podemos ter trilhões de dólares em pesquisa e progresso científico... para não falar de outros trilhões de lucros em potencial... nas mãos de um banana, podemos?

Rio levanta a cabeça. Seus olhos – onde antes eu via bondade e remorso autênticos – agora parecem cansados e dominados.

– Seraphina – diz ele com a voz fraca –, espero que um dia você encontre em seu coração motivo para me perdoar.

Depois, por um breve momento, uma intensidade inconfundível brota pelo rosto cansado e ele me fita com uma determinação tão penetrante que me vejo um pouco recurvada para a frente, atraída à sua força de vontade subitamente renovada.

Seu olhar baixa veloz para meu pescoço e volta para meus olhos. E então ele repete. Desta vez com uma convicção quase desconcertante:

– Espero que você um dia *encontre em seu coração* motivo para me perdoar.

Fico tão impressionada com a mensagem e a forma estranha como é dada que mal percebo Alixter entregando o Modificador ao agente que segura Rio. E, quando me dou conta, é tarde demais.

– NÃÃÃÃÃÃO!

Tento investir para a frente, mas o outro agente é rápido, puxando-me de volta com a perna. Tudo parece se mover numa espécie de câmera lenta. A mão do agente negro se estende, a ponta do Modificador faz contato com o rosto de Rio e todo o seu corpo entra em convulsão. Contorce-se violentamente enquanto a eletricidade é lançada ao cérebro e desce pelo corpo.

Ele cai duro no chão, os ossos produzindo estalos horrendos com o impacto.

As contorções então cessam, e tudo é silêncio.

45
ABERTURA

❖

Olho, perplexa, a figura sem vida de Rio. Os olhos estão fechados, mas o rosto é petrificado num estado de puro terror.

Sei que ele não morreu. Não pode ter morrido. Vi o Modificador em ação várias vezes. Ele não mata. Só desativa o cérebro por alguns minutos, talvez no máximo algumas horas.

Mas nunca, nas poucas vezes em que testemunhei esse dispositivo sendo usado em outro ser humano, vi despertar uma reação dessas. O corpo de Rio se sacudiu tanto e com tal crueldade que pensei que fosse explodir.

— Ele está... — tento falar, mas choro tanto que mal consigo pronunciar as palavras. — Ele está morto?

Parece-me que Alixter não se deixa abalar em nada com isso.

— Acredite em mim, ele está melhor assim. — É só o que diz. — Agora, de volta ao nosso pequeno arranjo — continua. — Sou um homem de palavra e, assim, logo que você e eu estivermos de volta ao complexo da Diotech, mandarei um recado e meu agente soltará Zen. — Seus lábios se repuxam em uma carranca. — Claro, você entende que não podemos permitir que ele continue a transeder. Só voltaria à Diotech e tentaria sequestrá-la de novo. Assim, infelizmente, antes de o soltarmos, teremos que desativar o gene dele. Ele será obrigado a continuar aqui, nesta época, mas eu lhe garanto que não sofrerá nada.

Ele se aproxima de mim e se curva.

— Esses termos lhe parecem razoáveis?

Sinto que não tenho o que dizer. Porém, desde que Zen esteja vivo, meu propósito de vir aqui é plenamente satisfeito. Assim, enxugo o que resta das lágrimas e aceito a proposta.

Alixter bate palmas.

— Excelente! Então, estamos todos de acordo. É muito mais saudável desse jeito, não?

— Você jamais conseguirá levá-la de volta — ouço um murmúrio abatido. Alixter e eu nos viramos para Zen, recostado na parede, mal sendo capaz de erguer a cabeça, as forças esgotadas.

— Como disse? — pergunta Alixter, claramente fingindo interesse no que Zen tem a dizer.

Zen visivelmente luta para falar mais alto:

— Eu disse que você jamais conseguirá levá-la de volta.

Alixter continua sua farsa, entretendo-se com a conversa.

— E posso saber por quê?

— Porque o gene de transessão dela está desativado. — Zen ergue dolorosamente a cabeça e a escora na parede. — Não funciona. Creio que foi danificado quando ela veio para cá.

Pela primeira vez, uma emoção genuína aparece na cara de Alixter: medo.

— E como você sabe disso? — pergunta ele, a irritação escoando para a voz.

Os olhos de Zen se fecham enquanto ele estremece.

— Porque tentei levá-la comigo no momento em que a encontrei e por várias vezes depois disso, mas não deu certo.

Minha mente salta de volta à lembrança do hospital. Quando Zen entrou em meu quarto.

"Vou tirar você daqui."

Foi o que ele me disse. E um instante depois ele parecia ter desaparecido como mágica.

Em seguida, lembro-me do que ele disse no carro enquanto nos afastávamos de Wells Creek.

"Temos que encontrar um lugar distante para nos esconder... Até que eu pense num jeito de tirar a gente daqui."

Ele precisava de tempo para fazer isso? Entender o que havia de errado com meu gene e tentar consertar?

A ideia me enche ao mesmo tempo de esperança e pavor. Esperança porque, se o que Zen diz for verdade, pode haver outra saída dessa enrascada. E pavor porque, se sou incapaz de transeder de volta à Diotech, Alixter pode renegar sua parte do acordo.

— Não sei se acredito em você — diz Alixter, olhando Zen com ódio. — Acho que só quer ganhar tempo.

— Experimente — desafia Zen em um sussurro rouco. — Tente transeder com ela.

Alixter renova o sorriso, mas ainda vejo os vestígios de frustração nos olhos. Não agrada que lhe digam o que fazer.

— É claro que é uma tecnologia muito nova — admite. — Porém, pelo que entendo, se você tem o gene da transessão, só precisa se concentrar plenamente no destino desejado e será transportado para lá.

Alixter faz um gesto sutil de cabeça para o agente de cara marcada e ele passa os dedos castanhos e grossos com força por meu bíceps, puxando-me e me colocando de pé.

— O que eu também entendo — continua Alixter, entrelaçando os dedos —, é que quem está em contato direto com o transessor, que *também* é portador do gene, será transportado com ele.

Alixter assente para o agente mais uma vez. Fecho os olhos com força e prendo a respiração. Posso sentir a mão do agente vibrar levemente contra a minha pele, e em seguida sinto lentamente seu aperto se afrouxar. Abro os olhos e vejo o borrão de sua mão entrando e saindo de foco, ficando cada vez mais transparente, até que desaparece. Quando ergo a cabeça, vejo que o resto de seu corpo desapareceu também.

Caio de volta ao chão e solto um suspiro de alívio somado com um gemido de assombro.

Alixter observa o espetáculo, boquiaberto. Espero que fique furioso, que comece a atirar coisas, mas é bem o contrário. Calmamente, ele esfrega o queixo.

— Muito interessante. — Seu olhar vai rapidamente até Zen. — Parece que Lyzender tem razão.

Depois olha o corpo de Rio no chão.

— Que pena que o homem que mais entende de seus genes... — ele solta uma gargalhada cruel, achando graça de seu próprio senso de humor depravado —, bem, parece que cuidamos dele prematuramente.

Ele para de rir e vira a cabeça de lado, pensativo.

— Mas ele não me contou nenhum de seus segredos. É de se pensar que estava *escondendo* muito mais segredos do que revelando ultimamente.

Alixter une as mãos e as coloca sob o queixo.

— É de fato uma complicação intrigante.

Pela primeira vez desde que desmaiou, permito-me olhar mais uma vez para Rio. A visão quase me faz cair aos prantos novamente, mas contenho a emoção e obrigo-me a examinar seu rosto.

Que segredos ele estava guardando?

E o que poderia significar aquele olhar intenso que ele me deu?

"*Espero que você encontre em seu coração motivo para me perdoar.*"

Mas a verdade é que eu já o perdoei. Não o culpo por nada. E embora não lembre bem, tenho certeza de que nunca o culpei. É evidente quem é o verdadeiro monstro nessa situação.

Encontre em seu coração.

Essas quatro palavras não param de se repetir em minha mente. Parece que não consigo me livrar da sensação de que ele tentava me dizer mais. De que tentava me contar um de seus segredos.

Encosto-me à parede de pedra e minhas mãos atadas tocam algo frio. Curiosa, passo a ponta dos dedos pelo objeto, tentando identificá-lo. É pequeno e liso com uma superfície elevada, preso a uma corrente comprida.

Solto um leve arquejar.

É claro! Eu o deixei cair alguns minutos atrás. No tumulto, esqueci-me inteiramente dele. É meu medalhão. Meu...

Coração.

Encontre em seu coração...

Fico boquiaberta. Será possível que ele estivesse falando do colar?

Mas o medalhão estava vazio. O dr. Schatzel disse que encontraram assim. E até Zen confirmou que antes havia uma pedrinha dentro dele.

Vejo que Alixter anda de um lado a outro de novo, aparentemente pensando em como vai consertar o defeito imprevisto em seu plano.

Zen me olha atentamente. Ele sabe que esbarrei em alguma coisa, mas espera por um sinal meu, dizendo-lhe o que é.

O problema é que não sei do que se trata. Não sei se é *alguma coisa*.

Mas suponho que a essa altura seja a única pista que tenho.

Com as mãos tremendo, consigo abrir o fecho do pequeno coração às minhas costas.

E sinto a torrente familiar assim que faço isso. Uma rajada de informações. O influxo repentino de imagens que invadem meu cérebro. As pequenas vibrações na nuca e atrás das orelhas.

O que está havendo?

As imagens giram sem parar, por fim se alinhando e formando uma cena completa. Um quadro completo.

Uma lembrança.

Que esteve guardada dentro do medalhão. E agora é estimulada pelo meu cérebro. Porque eu ainda estou com os receptores.

Mais uma vez, olho longamente para Zen e fecho os olhos, deixando que o filme passe em minha mente.

Estou dentro de casa. Sentada no sofá em minha sala de estar. Sozinha.
Muito sozinha.
A chuva escorre pelas janelas. Bate na calçada do lado de fora.
Estou ansiosa. Meus joelhos se sacodem. Não consigo fazer com que parem.
Nunca fiz nada parecido com isso. Jamais escondi alguma coisa de Zen.
Mas estou fazendo isso por ele. Por nós. Porque eu o amo.
Se der certo, se eu tiver razão a respeito de Rio, finalmente ficaremos juntos. Para sempre. Como no poema.
Se eu estiver errada... bem, não quero nem pensar nisso.
Espio a porta de entrada, sobressaltando-me a cada estalo mínimo que a casa faz.
Quando finalmente soa a campainha, dou um pulo do sofá e corro à porta, escancarando-a.
Rio está na varanda, ensopado. Não consigo entender sua expressão. É como se a chuva a tivesse lavado.
Ele está feliz?
Triste?
Arrependido?
Recuo um passo, deixando que ele entre. Prendo a respiração enquanto ele tira a capa de chuva e pendura no gancho. "E então?", pergunto, incapaz de suportar o suspense por mais tempo.
Ele suspira, baixando o olhar e retirando do bolso um frasco pequeno com um líquido transparente.

"Isto é...?", quero perguntar, mas não consigo me obrigar a falar mais.

Ele concorda com a cabeça. "Sim."

Fico saltitante. "Obrigada! Obrigada! Obrigada!" Não consigo parar de sorrir. Jogo as mãos em seu pescoço e aperto, sentindo o cheiro doce e familiar. De imediato ele me acalma, devolvendo-me a um estado mais controlado e mais tranquilo.

"Você salvou a minha vida", sussurro em seu ouvido.

Sinto seu corpo arriar. Ele me abraça com força. "Era o mínimo que eu podia fazer."

Depois ele se desvencilha gentilmente das minhas mãos, mantendo-me à distância de um braço, obrigando-me a olhá-lo.

"Seraphina", diz, a expressão agora grave, "preciso avisá-la. O gene da transessão é muito instável. Ainda não sei muita coisa sobre ele. E não houve nenhum teste para investigar seu efeito de longo prazo."

Faço que sim com a cabeça, imitando suas maneiras sérias.

"Se algo der errado e você não tiver como desativar, o gene pode destruí-la. Devorará você viva aos poucos, por dentro. Você só saberá quando for tarde demais. Tenho que insistir que você me deixe construir algum mecanismo que lhe permitirá ativar e desativar o gene. Só por segurança."

"Mas e Zen?", pergunto.

Rio meneia a cabeça. "Se você não conseguir que ele se encontre comigo, não posso..."

"Ele não vai", respondo apressadamente. "Não vai fazer isso. Ele nem mesmo queria que eu falasse com você. Se ele soubesse, ficaria furioso. Ele não confia em você."

Rio solta um suspiro. "Não posso dizer que o culpo." Ele coloca o frasco com cuidado em minha mão. "Mas, se ele não vier falar comigo, você terá que se arriscar."

"Eu entendo", digo.

Há uma longa pausa e vejo os olhos de Rio começarem a brilhar de lágrimas. "Sera", começa ele, a voz rouca, "lamento muito por tudo. Tudo o que fiz a você."

"Pai...", tento.

"Não me chame assim", ele me interrompe. "Não mereço esse título. E nós dois sabemos que de qualquer modo não é direito." Ele coloca a ponta dos dedos nos cantos dos olhos. "Você tem sido uma dádiva para mim, mas detesto que sua vida tenha que ser o que é."

Minhas próprias lágrimas também aparecem. Afasto-as, piscando.

"Eu só queria que houvesse um jeito de compensar você", diz ele.

"Você já compensou", digo, estendendo o frasco. "Isto é tudo que eu sempre quis."

Ele aperta os lábios.

"Eu sei. Digo, gostaria de poder desfazer o que fiz."

Fico em silêncio, passando o polegar pelo vidro liso do frasco mínimo em minha mão. Minha salvação.

"Na verdade", digo, minha voz de repente soando rouca e insegura, "você pode."

Ele me fita com olhos indagativos. "Tire tudo", digo a ele, minha convicção aumentando enquanto falo. "Cada lembrança que tenho deste lugar. Tudo. Só assim posso verdadeiramente recomeçar. Só assim serei capaz de esquecer."

"Mas Sera", protesta ele.

"Não quero me lembrar de nada disso."

Ele coloca a mão quente em meu ombro. "Creio que você não compreende. Se eu tirar tudo, isso incluirá Zen."

Abro um sorriso irônico. "Zen não pode ser esquecido. Ele vive em meu sangue. Em minha alma. Ficaremos juntos, e é só isso que importa. Um dia, com a ajuda dele, ele voltará para mim. Eu sei disso. Sempre me lembrarei dele." Aperto suavemente o frasco entre meus dedos. "Porque eu sempre me lembro."

A primeira coisa que vejo quando abro os olhos é Zen. Apesar dos variados arranhões, ferimentos e dos possíveis ossos quebrados, ele é a visão mais linda que tive na vida.

Mas há muita coisa que ele não sabe. Que agora eu sei.

Foi Rio que nos deu acesso ao gene da transessão.

Foi ele que colocou a lembrança no medalhão.

Depois ele apagou tudo. Por instrução minha.

A Diotech não roubou minha memória. Nem perderam por acidente. Eu abri mão dela, voluntariamente.

Porque imaginei que não importaria. Que eu chegaria a salvo no ano de 1609 e ficaria com Zen. Por isso escrevi o bilhete para mim mesma. Confie nele. Para me dar uma dianteira.

Em vez disso, algo deu errado e acabei aqui. Sozinha. Sem memória nenhuma em meu cérebro.

Felizmente, porém, sei como corrigir isto. Enfim sei como fazer tudo direito.

Olho bem nos olhos de Zen, tentando em desespero transmitir uma mensagem silenciosa pela caverna mal-iluminada.

Não se preocupe, digo a ele. *Vai ficar tudo bem.*

Depois me levanto de um salto, pegando de surpresa Alixter e o agente de pele negra. Ambos se viram rapidamente para o meu lado. O agente estende o Modificador, preparado.

— Sei como consertar o gene — digo a Alixter.

Zen olha alarmado de mim para eles, depois de volta para mim.

— Você sabe? — pergunta Alixter, intrigado.

— Sim. Rio me contou antes de eu sair. Ele disse que algo assim podia acontecer e me disse como corrigir, se acontecesse.

Alixter cruza os braços.

— Estou ouvindo.

Olho rapidamente para Zen e volto a Alixter.

— É muito fácil. Um ajuste rápido e simples. Depois que eu lhe contar, você poderá me transeder daqui em questão de minutos.

Alixter assente.

— Continue.

— Mas eu tenho uma condição.

Ele abre um sorriso sinistro.

— É claro que tem.

– Quero falar com Zen. – Vejo a boca de Alixter cair de desagrado e rapidamente acrescento: – Para me despedir.

Ele parece pensar na proposta.

– Depois lhe direi como consertar o gene e irei com você – prometo.

Os olhos de Alixter disparam de um para outro. Mantenho a expressão mais séria possível. Ele bate a ponta dos dedos no braço, pesando na decisão.

– Muito bem – concorda por fim. – Você tem um minuto. – Ele aponta o dedo para o agente e gesticula para que ele me siga.

Com o medalhão firme em minha mão, fora de vista, ando doze passos curtos pela caverna e me ajoelho ao lado de Zen. O agente está em meus calcanhares, pairando sobre mim. Bate, ameaçadora e longamente, o Modificador na palma da mão, avisando-me para não tentar nada.

– Não faça isso, Sera – me pede Zen. – Não vá com eles. Dê o fora daqui. Vá para o mais longe que puder.

– Shhhh. – Curvo-me mais para ele, meu rosto a centímetros do dele. Respiro o ar que ele respira. – Feche os olhos.

Ele meneia a cabeça, sabendo o que isso quer dizer. Zen sabe, porque era ele que sempre costumava dizer isso. Antes de ir embora.

Significa a despedida.

– Confie em mim – sussurro.

Ele me suplica em silêncio, a expressão angustiada e temerosa. Faço-lhe um gesto encorajador com a cabeça e, com relutância, seus olhos se fecham.

De imediato coloco minha boca na dele, beijando-o intensamente. Ele cede e sinto nossos corpos se unindo. Misturam-se. O beijo é tão delicioso como em minha memória roubada. Igualmente devorador. Igualmente perfeito. E, por um momento, tudo à nossa volta desaparece. Nada mais existe no mundo, além desse momento.

Este beijo maravilhoso e salvador.

Estive ansiando por essa sensação – esse momento lindo – por mais tempo do que consigo lembrar. Mas a verdade é que tenho outra motivação para o beijo. Com nossas mãos amarradas às costas, só assim podemos nos tocar.

E o próprio Alixter disse... Você *precisa* estar em contato direto.

Fecho bem os olhos e repito mentalmente uma frase, sem parar, concentrando todo o meu pensamento, toda a minha energia nesta salvação única e simples.

Tire-nos daqui. Tire-nos daqui. Tire-nos daqui.

Enquanto sinto o chão se desintegrar abaixo de nós e o zumbido suave de nossos corpos convergindo com o ar, ouço a voz de Alixter cada vez mais distante:

– MAS QUE DROGA! – grita ele.

É tarde demais. Nós já partimos.

46
FÉ

❖

Quando abro os olhos, estamos na boca da caverna, olhan-do o abismo, da beira. Procuro arrebentar as correntes que estão em minhas mãos, mas elas não se quebram facilmente. Alixter tinha razão. Elas parecem estar fora do meu alcance.

Porém, depois de alguns segundos, junto com a força da minha adrenalina, consigo torcer o metal o suficiente para espremer minhas mãos por ele.

Ao que parece, sou mais forte do que Alixter supunha.

De mais jeitos do que ele pudesse imaginar.

Viro-me para Zen. Suas mãos estão amarradas com uma corda fina. Rasgo-a sem esforço. Ele esfrega os punhos e me olha, um sorriso imenso espalhando-se pelo rosto.

– Como fez isso?

– Foi Rio – digo-lhe sem fôlego. – Ele me disse que ia criar um modo de desativar meu gene. Como precaução. E imaginei que só havia um lugar em que ele o teria colocado. Eu só tinha uma coisa comigo quando cheguei aqui. – Abro a mão e revelo o colar.

– Mas como funciona? – pergunta Zen.

– Bem, no começo eu não sabia – confesso –, mas então me lembrei de você me dizendo que colocou uma pedrinha dentro do medalhão. Mas estava vazio quando cheguei aqui, o que significa que deve ter caído. E só pode ter caído de um jeito...

— Se o medalhão fosse aberto. — Zen completa meu raciocínio.

Concordo ansiosamente com a cabeça.

— Ele pôs o desativador no medalhão. Tinha que ser aberto para o gene funcionar.

Zen olha em volta, vendo o ambiente.

— Mas como foi que você nos trouxe aqui?

Dou de ombros.

— Não sei. Só concentrei toda a minha energia em sair da caverna. Então, acho — dou uma risada — que saímos da caverna.

Ele ri também, o sorriso mais luminoso que vi na vida.

Zen tira o medalhão da minha mão e fecha a corrente em meu pescoço. Depois se curva e me beija de novo, tocando gentilmente a boca na minha. De imediato sou atraída para ele. Desejando-o como ao oxigênio. Não consigo mais sentir o chão sob meus pés. Mas não preciso mais de chão ali.

Ouço um barulho. Pés batendo em pedra. Nós nos separamos e olhamos para trás, para o túnel escuro que leva à câmara. Escuto atentamente. Os passos se aproximam, velozes.

— Eles chegarão aqui em menos de quinze segundos — calculo.

Ao mesmo tempo, nós dois nos curvamos para a frente e olhamos mais uma vez pela beira. Para o grande vazio escuro. Para a eternidade.

— Só podemos ir a um lugar — diz ele, olhando para mim esperançoso.

Concordo e gentilmente toco o medalhão e o aperto em meu peito.

— Só há um lugar em que podemos ficar juntos.

Os sons dos passos ficam mais altos. O agente de Alixter chega mais perto. Uma voz grita às nossas costas.

— Não se mexa!
Zen aperta a minha mão.
— Você confia em mim?
Abro um sorriso.
— De todo o coração.
— Não solte.
Entrelaço os dedos nos dele, apertando com força.
— Nunca — juro.
Damos um passo para a beira e, juntos, saltamos.

AGRADECIMENTOS

A memória é traiçoeira. Pelo menos quando se trata da minha.

Porém, apesar do quanto consigo *não lembrar* (e a quantidade é impressionante!), as pessoas que mencionarei agora jamais podem ser esquecidas.

Janine O'Malley, minha editora. Você agora já me acompanha há quatro livros. Essa pode ser uma realização maior do que *escrever* fisicamente os livros. Sei como eu consigo.

Bill Contardi, meu agente. Este livro não existiria sem aquelas três palavrinhas que você escreveu para mim: "Ideia muito legal."

Simon Boughton, Joy Peskin, Kate Lied, Angus Killick, Elizabeth Fithian, Kathryn Little, Karen Frangipane, Ksenia Winnicki, Lucy Del Priore, Holly Hunnicutt, Jon Yaged, Lauren Burniac, Vannessa Cronin, Courtney Griffin, Jean Feiwel, Caitlyn Sweeny e todas as pessoas incríveis do Macmillan Children's Publishing Group. Agradeço a vocês por ainda me darem apoio, me mimarem e fazerem com que meus livros pareçam bons. Sou grata por trabalhar com um grupo tão dinâmico de entusiastas do livro. E agradeço a Elizabeth Wood, que não poderia ter desenhado uma capa mais perfeita para esta obra!

Ruth Alltimes, Polly Nolan e todas as pessoas simplesmente maravilhosas da Macmillan Children's UK que acreditaram nesta história desde o início – antes mesmo que eu a tivesse terminado. Isso é que é fé!

Allison Verost. Um agradecimento extra, super, vai para você, porque você é totalmente uma estrela do rock e porque de algum jeito conseguiu milagrosamente jamais demonstrar seu estresse.

Meg Cabot, você é um ídolo e um amor de pessoa. Obrigada por apoiar meu livro!

Agradeço às pessoas fantásticas que trabalharam no book trailer de 52 *Reasons to Hate My Father*. Ao lindo elenco: Alanna Giuliani, Hunter Blake, Micky Shiloah, Tom Wade, Javier Lezama, Wesley Rice e Lishmar, o cavalo! À equipe talentosa e esforçada: Jason Fitzpatrick, Jason Bell, Terra Brody, Anna Bratton, Jackie Fanara e Charlie Fink. Aos músicos e às bandas que contribuíram com a música: Time Will Tell, Sh!, It's a Secret, Matthew Clark, Sarah Meeks-Clark, Tommy Fields e Nikki Boyer. Às pessoas generosas que permitiram que nossa pequena produção invadisse suas residências/empresas: Brian Braff, Steve e Zina Glodney, Jennifer e Ryan Bosworth, Lisa e Lisa do Lionheart Ranch, e Ike Pyun, do Parlor. E às pessoas sensacionais que ajudaram a fazer o trailer brilhar: Ryan Bosworth, Jerry Brunskill, Shane Harris, Thatcher Peterson, Matt Moran e Ella Gaumer.

Liz Kerins, obrigada por estar presente e por dizer "Mande-me mais!". Marianne Merola, obrigada por agora eu aparentemente falar várias línguas. Nick Hart, o designer mestre! Deb Shapiro, o gênio da publicidade e do marketing. Também agradeço a Kim Highland, Kathryn Bhirud, Christina Diaz, Lisa Nevola Lewis, Leslie Evell, Brittany Carlson, BJ Markel, José Sileio, Rich Kaplan e Mark Stankevich.

Minha imensa gratidão a Ruth Haas e Stan Wagon por me levarem pela matemática complexa que estava muito além de minha compreensão, a Tara Playfair por me ensinar a ser jamaicana, à dra. Julianne Garrison pelo curso relâmpago de medicina e a Lynn e Rob, do Tealeaves Café, por deixarem que eu me sentasse em seu lindo restaurante durante horas sem nem mesmo reclamar (nem ameaçar me expulsar) e por me apresentarem as virtudes mágicas do chá Mayan Cocoa.

A todos os professores, bibliotecários, diretores e alunos que me convidaram para suas escolas. Agradeço por me receberem de braços abertos e por me fazerem sentir que tenho coisas interessantes para dizer. Agradeço a todos os bibliotecários e livreiros que mantêm meus livros nas prateleiras e os vendem aos leitores. E aos editores estrangeiros, que levam minhas histórias ao mundo todo.

Os escritores são loucos. E, por ironia, são *outros* loucos que mantêm nossa sanidade mental. Agradeço a minha equipe de apoio de companheiros escritores que conseguiram me manter *na beira* (e não caindo por ela): Alyson Noël, Robin Reul, Joanne Rendell, Brad Gottfred, Mary Pearson, Gretchen McNeil, Leigh Bardugo, Lauren Kate, Amanda Ashby, Carol Tanzman, Carolina Munhóz e Raphael Draccon. E um agradecimento superespecial a Jenn Bosworth, que leu este livro *muito* antes de ser legível e que me suportou muito mais do que deveria.

Terra Brody. Você continua a me impressionar com sua força, sua criatividade e a capacidade de ver uma temporada inteira de *Vampire Diaries* numa só noite.

Michael e Laura Brody, nem tenho mais como lhes dizer os pais legais que vocês são.

Charlie Fink. Obrigada por me fazer rir, me deixar chorar, corrigir tramas capengas e me dar apoio quando eu juro que nunca mais vou escrever outro livro.

E, mais importante, e *jamais* esquecido, o maior, mais fofo, mais caloroso, cintilante e reluzente obrigada a meus leitores. Isto significa você. Sim, *você*. Por que a surpresa? Acha sinceramente que eu conseguiria fazer alguma coisa sem você? Pense bem.

Impressão e Acabamento:
LIS GRÁFICA E EDITORA LTDA.